ちくま新書

# アナキズム入門

森 元斎
Mori Motonao



1245

# アナキズム入門【目次】

# はじめに

## †「はじめに」のはじめに

アナキズムを知ったのはいつ頃だったろうか。高校生の時に、ハキム・ベイ（本名ピーター・ランボーン・ウィルソン）の『T.A.Z.』（インパクト出版会）という怪しい本を、ある古本屋で見つけた。タイトルに並んで「一時的自律ゾーン」（The Temporary Autonomous Zone）と書いてある。サブタイトルには「存在論的アナーキー、詩的テロリズム」（Ontological Anarchy, Poetic Terrorism）。これは、読まなければならない、と直観的に確信した。

帰りの京王線で早速、開いてみるとこう書いてある。「カオスは決して滅びてはいない」。なんだそりゃ。正直、よくわからなかった。だけども、ものすごく、かっこいい。そんな印象が残っていた。よくわからないけど、かっこいい。そんなものに呼応する年頃である。当時はまだ様々なカルチャー系の雑誌があった（今もあるんだよね、多分）。そんなカルチャー系の雑誌の中でさえも、たまに、ハキム・ベイだけでなく、ドゥルーズ＝ガタリとか、シチュアシオニストという固有名を目にすることができた。

高校生である。なんだか、洋物がかっこいいと思える年頃である。生意気である。パンクを好きになってみる年頃である。セックス・ピストルズを知る。ピストルズのかつての伝説（？）を知ることになる。イギリス王室や政府、でっかい企業を批判していた。なんで批判しているのかわからないけど、これは、かっこいいじゃないか。そう思っていた。髪の毛を金髪にしてみたりする。形から入るのみ。まだ内容にはそんなに立ち入ってない。

そうこうしているうちに、大学に入った。未だに勉強は苦手であるが、何の因果か、こんな仕事をしている。それはともかく、大学では当時、カルチュラル・スタディーズが流行っていた。その流れだったと思うが、シチュアシオニストを知る。フランスの六八年世代の社会運動と思想の一潮流だ。そこで、シチュアシオニストとピストルズが繋がった。ヴィヴィアン・ウエストウッドとともにアパレル・ブティックを開いていたマルコム・マクラーレンが、アナキズムだけでなく、シチュアシオニストから多大な影響を受けていた。

そしてその彼がピストルズを陰で操作している。おお、なんだ。そういえば、ハキム・ベイの本にも、アナキズムの他にシチュアシオニストとやらの話が出ていた。こうなってくると、だんだん、勉強も面白くなってくる。ようやく内容を知るようになってきた。

アナキストたちの敵、ボリシェヴィキの側ではあるがレーニンの名言がある。「一歩進んで二歩下がる」。同時代のさまざまな思想潮流を理解しようとしても、わからないことが多い。一歩進んで、ハキム・ベイの言っていることがわかるようになりたい（いまだにわからないことが多いけど……）。ハキム・ベイの思想ですら、アナキストとシチュアシオニストの影響だけでなく、彼自身海賊の研究をしていたりもするがゆえに、極めて複雑だ。そこでせめて、ハキム・ベイのアナキズムの側面がわかるようになりたい。ピストルズのアナキズムの側面がわかるようになりたい。で、二歩下がってみる。

ハキム・ベイ

そうこうしているうちに、泥沼だ。でもだんだん、自分の中で一貫したものが見えてきた。アナキズムだった。アナキズムの森に分け入ると、アナキズムが体にストンと落ちてくるほど、私の体質には合っていた。国家も、党も、ともすれば社会も要らない。自由に突っ走る。でも共同作業は嫌いじゃない。何だ、自分みたいなやつらが一九世紀にもたくさんいるじゃないか。私は一九世紀人か、いや、アナキストか。とにかく、自分には、アナキズム。これしかない。そう思えるようになった。

本書では、アナキズムを生み出していった一九世紀から二〇世紀にかけて活躍したヨーロッパの思想家・活動家について論じる。社会思想史の教科書を一瞥すれば、大体のアナキズムの思想家はちょろっと論じられるくらいだ。もちろん、それはそれで良い。教科書だから。しかし本書では、もう少し、アナキズムのエッセンスが摑み取れるように、私の好きなアナキストたちを論じていく。そこから少し、アナキズムの思考法を探っていこう。アナキズムに入門してしまおう。

本書では、アナキズムの生みの親プルードンにはじまり、暴れん坊バクーニン、聖人クロポトキン、歩く人ルクリュ、そして再び暴れん坊マフノの順番に論じていく。

アナキズムはペンでも剣でも戦う。そう、悪名高い（？）アナキズムの側面である蜂起は重要だ。思想だけではない。牧歌的なコミューンを作っているだけではない。時には武器を手にとって、闘争することもある。パリ・コミューンに影響を与えるほどの、アナキズムを練り上げていった思想家がいた。それがプルードンだ。彼よりもさらに激しく、闘争に身を投じていった思想家・活動家がいる。バクーニンだ。彼らは、マルクスとやりあった、時代の寵児でもあった。各地の蜂起に参加し、彼らの人生を追いかけているだけでも、一九世紀のヨーロッパがなんだったのかがわかる気もする。革命の世紀だったのだ。

二〇世紀に至っても、ヨーロッパは動乱だらけだ。その中でも二〇世紀を決定づけた出来事がある。ロシア革命だ。そんなロシア革命の最中に、武装闘争を行ったアナキストたちだっている。スペイン戦争の時もそうだ。今だって、クルドの土地で、IS（イスラム国）にも、アサド政権にも、トルコにも、ロシアにも、どこにも与することなく、武器を手に持ち、戦うアナキストがいる。ただの暴れん坊なのではない。戦わずにはいられないのだ。戦争なんて誰もしたくない。しかし、それが強いられてしまうことがある。なぜ立ち上がってしまうのか、それを理解せずして、武装闘争を語ることもできないだろう。

本書で、アナキストたちの軌跡と、その活動を見てみる。ここからアナキズムとは何かを理解するきっかけを作っていただけたら嬉しい。

## †アナキズムとは何か

二〇一五年に亡くなった日本の思想家に鶴見俊輔がいる。彼は戦後日本の思想・運動を牽引したうちの一人であるのは言うまでもない。そんな彼であるが、マルクス主義は嫌いだったようだ。しかしながらアナキズムについては、結構語っている。大変わかりやすいアナキズムの定義を彼から引こう。「アナキズムは、権力による強制なしに人間がたがいに助けあって生きてゆくことを理想とする思想」(鶴見俊輔『身ぶりとしての抵抗　鶴見俊輔コレクション2』河出文庫、二〇一二年、一七頁)、これだ。戦争なんて誰もしたくない。人を殺したくない。なのに、国家は戦争に行けという。そんなことは断る。だったら私たちは、協力して戦争に行かなくて済むように生きていく。あるいは国から税金が取られる。その税金は、なぜか私たちのために使われない。ふざけるな。だったら、自分たちで、助け合って道路の補修をする。断裂した水道管を付け替える。

何でもかんでも、国家とやらにお任せしていると確かに、楽である。人生も、自分たちの共同体も、国家に、お任せ。しかしお金がとられていく。収奪されていく。盗奪されていく。国家は肥えていく。私たちは飢えていく。お任せしていれば、ある意味では何も考えなくてもいい。何も考えずに、気づけば、すっからかん。教育を受けなさい、勉強しなさい。じゃあ、ということで、大学に行く、大学院に行く。奨学金という名の学生ローンを借りる。学校を出た時には、借金だけが残る。人生台無し。そうじゃなくて、自分の人生も、自分たちの共同体も、自分たちで直接決める。お金がかかる仕組みなんて要らない。勉強はしたい。学費をこんなに課しているというのはどういうことなのだ。ふざけるな。

　選挙なんかもいらない。間接的に色々決めるからダメなんだ。そうじゃない。みんなで決めて、みんなで取りかかる。もちろん、それぞれができる範囲で。当たり前のことである。しかしこんな当たり前のことを、とりわけ現在の制度では、できなくさせて、とにかくなんでもお金払って、何も考えないで済むよう仕向けられている。考えたとしても、ネットにあるような言葉を拾って事足れり、とする。自分で考えないから、ネトウヨなんかが生まれる。

アナキズムのアイコン

　それでも、ネトウヨでも、私みたいな田舎の貧乏人でも共通していることはある。本当は、みんなアナキストだ、ということだ。さすがに四六時中、国家のことなんかは考えないだろう。ご飯はどうするか、何飲むか、トイレで踏ん張るか、その他もろもろ、ただただ生活している時に、国家の恩恵など受けていない。国家がなかった時代でも、人は生きてきた。みんな国家など必要なかったし、本当のところ、国家など必要ではない。反国家を掲げずとも、皆アナキストでしかない。そして、コミュニストでしかない。

## †コミュニズムとは何か

共産主義を標榜する国家は、国家である以上、アナキストからすれば、こき下ろす対象だ。専制主義体制であれ、共和主義体制であれ、社会主義体制であれ、国家である限り、国家とは収奪の装置だ。「特権階級の装置」（byマルクス）でしかない。そうではなくて、一人一人のコミュニズムがあるとすれば、それは何だろうか。

人類学の生みの親マルセル・モースがいる。彼はいわゆる未開社会の事例を『贈与論』の中でふんだんに取り上げている。その中には、原始共産主義とも呼べるものがいくつもある。たとえば、ある地域にいくつかの共同体がある。それらの共同体が、生活を円滑に進めていくために、食料や物語、宝物などそれぞれ所有しているものを交換し合う。そこである種の倫理的な規則が立ち上がる。共同体Aではヤムイモを食べることは禁じて、他の共同体Bからもらわねばならない。あるいは他の共同体の娘とだけしか結婚してはならない。死者を葬るのは、ある別の共同体に頼まねばならない……この時に、共同体Aが、別の共同体に対して、「七人こちらでは葬ったのに、君たちは四人しか葬っていない、不公平だ」などとは決して述べることはない。

こうしたいくつもの事例からモースは「民俗学講義」の中で、自らの能力の範囲内で他人の必要に応えようとすることはすでに共産主義であり、この意味で共産主義はどんな人間社会にも存在している、と語っている。

それでは共同体の共産主義ではなく、一人一人に共産主義、コミュニズムはあるのだろうか。ともすれば「原始共産主義」とは、土地でもなんでも共同所有であるとしばしば見なされがちである。しかしモースはこう言う。個人の所有なしの社会などは絶対にありえない、と。もし仮に共同所有の土地があったとしても、それを管理する人、そこを使用する人がいなければ、その土地を十分に有用に使うことはできない。後でまた述べることになるが、こんな言葉がある。「各人は能力に応じて働き、必要に応じて受け取る」、あるいは「各人は能力に応じて働き、欲求に応じて消費する」。この原理に基づいて、お互いの財産や能力を使い合う関係があるのだと。これがアナキズムだ。コミュニズムだ。アナルコ・コミュニズムだ。

同時代のアナキストにデヴィッド・グレーバーという人がいる。アナキストとはいえ、突然火炎瓶を投げ出したりはしないし、刺青だらけで、モヒカン・ヘアーなどでは決してない（ボロボロのTシャツを着ているくらいだ）。彼は内容のあることしか言わない。本物のアナキズム研究者だ。言説の世界でも、ものすごく活躍している人類学の研究者・大学の先生だ。そのグレーバーがモースに基づいてこんなことを語っていた。

もしあなたと私が、お互いに必要な時に助け合うだろうという想定にもとづいて、いちいちどれだけ私があなたに贈与し、あなたは私にどれだけ贈与したか計量しない関係を持つならば、それは共産主義的関係である。少なくともそのような共産主義的関係は、近しい友人関係、恋人、家族の間には存在しています。（中略）あらゆる人間社会は、そのような個人的共産主義のネットワークによって縫い合わされているのです。

そこから私が言いたいのは次のことです。もしわれわれがモースにちなんで、共産主義を全体的機構として見ないならば、共産主義はどこにでもある。エクソンやシティバンクといった巨大会社の内部でさえ、人びとはほとんどの時間、共産主義的に労働しているのです。共通の任務を前にした時、人は仲間に「そのスパナを取ってくれ」と頼まれた際、「代わりに何をしてくれる？」とは言わないものでしょう。みなそれぞれの能力に応じて他人の必要に答えているのです。実践の論理においては、何かを達成しようとするならば、共産主義者のようにふるまわねばならないのです。（デヴィッド・グレーバー『資本主義後の世界のために――新しいアナーキズムの視座』以文社、二〇〇九年、五三頁）

デヴィッド・グレーバー

グレーバーはこうした共産主義的な関係に対して持論を展開している。共産主義的な関係は「各人は能力に応じて働き、必要に応じて受け取る」あるいは「各人は能力に応じて働き、欲求に応じて消費する」のだから、各個人の関係は、その都度の贈与によって規定される。その都度とはいえ、関係は続く。なぜなら、私ができないことを友人がやり、友人ができないことを私がやるのであるから、生きている限りは、お互い助け合い、その関係が続いていく。

これに加え「互酬性」という観点でも議論がなされる。その場合においても、その都度贈与の関係が生じるのは同じであるが、その都度の関係は、能力によってではなく、市場取引で処理されてしまう。どういうことだろうか。私とあなたが完璧に等価である。それはたぶんそうだ。そこで私があなたに激レアな森元斎著『具体性の哲学』のサイン本を渡す。そうするとあなたは私にお金をくれる（それはそれで嬉しいのだけれども……）。喫茶店でコーヒーをあなたにおごったら、あなたも私にコーヒーをおごってくれる。この関係は通常の贈与のそれでありつつも、やはり単なる市場取引の関係である（交換関係とも呼ばれたりもする）。その都度であり、なおかつ、これはこれっきりの関係だ。関係は続かない。

そうではなくて、互酬性無き贈与の関係とは、物乞いに百円あげたりすることだ。物乞いから百円返してもらうことは、普通期待しない。あるいは子どもにチョコをあげて、代わりに、百円ちょうだい、と子どもに求めたりすることなどないはずだ。そう、互酬性無き贈与の関係とは、一人一人がコミュニズムを生きている関係に他ならない。

## †アナルコ・コミュニズム

この意味で、私たちは実のところ、アナキストであり、コミュニストであると言える。こうした互酬性無き贈与の関係を、私たちは常に生きている。これがアルファであり、オメガである。これを一言で言えば、アナルコ・コミュニズムを生きる、ということになる。こうした立場から私たちは本書を読むことになる。一九世紀から二〇世紀のアナキストたちを本書では取り上げることになるが、アナルコ・コミュニズムは、実のところ、ずっと存在しているし、生きている。決して過去の遺物なのではない。きっと、人類が誕生して、共同生活を営んでいる限り、根底にアナルコ・コミュニズムがあると思われる。プルードンはこんなことを言っている。「私が何を語ろうと、そのことばはいささかも私のものではない」。プルードンは確かにアナキズムの生みの親ではあるが、アナキズムのオリジネーターなどではない。そう、ずっとアナキズム、未来永劫アナキズム。

人によっては、ブッダははじまりのアナルコ・コミュニストであると言うかもしれない。王家に生まれたけれども、王位を継承せず、権威は戴かない。王権を拒否して悟りの道へと突き進む。共同生活をしつつ、自らの自由を選ぶ。托鉢でもって誰かを市場価値で縛ることも、縛られることもない。あるいは、アナキズムの文脈でしばしば語られる荘子も、アナルコ・コミュニストかもしれない。国家や王が倫理の頂点に据えられた儒教を相対化し、自らを自然そのものの一員としてたゆたう。あるいは、ヨーロッパ中世のギルド社会にアナルコ・コミュニズムを見出すこともできるかもしれない。大商人の介入を妨げながら、職人たちが自らの製品の質を落とさないように、自分たちで生産を管理していた。

他にも、後述するが、いわゆる未開社会にも、アナルコ・コミュニズムと呼べる事例はいくらでもある。もっと広げよう。動物や虫もそうだ。相互扶助という観点があったからこそ、生き残ってきた側面がある。弱肉強食がもし本当ならば、なぜ、百獣の王ライオンが、地球の頂点に立っていないのか。なぜ絶滅危惧種なのか。

相互扶助を行っていた種こそが常に子孫を残し、繁栄していった。虫のほとんどは、群れをなして、何千年も生きているではないか！　人間だって、そうだろう。アナルコ・コミュニズムはいたるところにあるし、それが基盤にある。私たちは虫である、動物である、人間である、自然である。ただ生きている。生そのもののあり方、それがアナルコ・コミュニズムなのではないだろうか。

## †本書の構成

本書で、みんながアナキズムに入門するために、時代順にアナキストたちを記述した。

ひとまず、有名どころを押さえておけば、間違いない！

第一章は、プルードンだ。プルードンは、「アナーキー」（フランス語だと「アナルシー」だけど）という語を史上初明示的に使った思想家だ。彼が生まれ育ったフランスは、革命の時代だった。しかしいつだって革命を起こしても、金持ちに体制が持ってかれる。そうしたことがプルードンは許せない。だからなんとか貧乏人のための革命ができないか、どういった革命が必要なのか、真剣に考えた思想家だ。「所有とは盗奪だ」という言葉で一大センセーションを巻き起こした『所有とは何か』で一躍有名になったプルードンは、ペンで戦う人だった。当初は厳密にはアナキストではないかもしれない。国家レベルでなんとかしなきゃと頑張り、選挙に立候補し議員にもなった経験もある。議員時代には階級の問題を取り上げたりした。なかなかやる奴だ。とはいえ、選挙に出ても無駄だとわかったのだろうか、その後は選挙の棄権運動を展開し、晩年は経済学の本や、連合主義の構想をぶち上げていた。マルクスに罵倒されようとも、静かに立ち上がり、自らの思考をゆっくり展開させていく。人格的にもものすごく優れている。学べることがありすぎる。

第二章は、バクーニン。プルードンが人格的に優れていたのに対して、バクーニンは、とにかく奇人。ともすれば、天才。行動が時にめちゃくちゃだ。ロシアの貴族出身だった彼は、亡命してからは、祖国に帰ることなく、その一生を暴れて過ごした。各地の重要な蜂起で名をあげた彼は、マルクスらとともに史上初の世界的な労働組合である第一インターナショナル（国際労働者協会）で活躍する。マルクス派よりもバクーニン派の方が、当時は優勢だった。このことは忘却されすぎている過去だ。彼の主張と行動、そして思想は、時にめちゃくちゃである一方で、やはり革命へと、正義へと猪突猛進していく人でもあった。とはいえ彼は決して正義とは言わなかった。むしろサタンと自らのことを呼ぶ。サタンがこの世を跋扈して、恐ろしい革命をこの世に来たらしめてやる、ぐわっはっは。しかし彼も人間。蜂起で大失敗すれば、ものすごく凹み、感情的になり、自暴自棄になったりする。愛すべき人物だ。晩年に至ると、哀愁が漂う。それでもなお、最後まで倫理の書物を著す意欲に掻き立てられていた。熱意ほとばしる人、バクーニン。

第三章は、バクーニンと同様にロシアの貴族出身のクロポトキン。とはいえ、クロポトキンの性格は、バクーニンとは正反対。蜂起や武装闘争はあまり参加したことはなく、それよりもむしろ、アナキズムの理論的な支柱として世界中に名前が知れ渡っている人物だ。聖クロポトキンとも呼ばれるくらい、人格者だった。学者としてもピカイチ。地理学の業績もものすごく、それに裏打ちされた彼の著作は説得力が半端ない。有名な『相互扶助論』は、現在の私たちが読むべき本だと本当に思う。私たちの生は、ともすれば、資本主義のせいで、国家のせいで、権威のせいで、とてもケチケチしたものに成り下がっている。しかし、そうしたことを取っ払ってみれば、私たちは何千年も、ともすれば何万年も、助け合って生きてきた。たった百年や二百年で、私たちの生が変えられてしまったのであるが、実際は変わっていない部分もたくさん残っている。そうしたところを大切に生きていきたい。そう、そんな理論的前提を提供してくれているのが、クロポトキンなのだ。

第四章は、ルクリュ。実は私がアナキストの中で一番好きなのが彼だったりする。戦う時は戦うし、その一方で文筆の手さばきも、ものすごい。そして、とにかく歩く。こんなにバランスが取れている人がいていいのだろうか、と思ってしまう。いずれにせよ、ものすごい人物だ。クロポトキンと同様に、彼も学者としてピカイチだ。彼も地理学が専門である。地理学と言っても、人文地理と自然地理とに分かたれる前の、深い教養がなければ研究できないような極めて魅力的な学知である。それでいて、彼は概念を武器にして議論を記述することもあり、哲学の著作としても読める。パリ・コミューンに参加し、アメリカ大陸に亡命したり、大学の先生になったり、ものすごい移動と激動の人生である。畑を耕す一方で、高度な知的著作をものす。歩いてフランスを横断する一方で、革命に思いを至らせる。私たちの生に足りないもの、それは心身ともに、「動く」ことなのではないだろうか。常に動くということは、私たちを進化させていくことに他ならない。新たな世界に目を向けさせてくれる重要なファクターだ。私たちは進化の過程にあり、革命の途上にある。常に「移動」を続ける大切さを彼から学びたい。

第五章は、マフノ。あまり知られていないかもしれないが、ものすごい闘争を繰り広げた人物だ。彼がいたウクライナは、革命とそれへの反動との戦いが激化していた。傀儡《かいらい》政権が出てきたり、王党派が出てきたり、ロシアの共産党が出てきたり、群雄割拠状態。マフノはそうした中でアナキズムの旗を掲げて戦った。グリャイポーレという小さな農村を拠点に、コミューンを至るところに作り出していった。ソヴィエト（評議会）という現在は手垢にまみれてしまった制度があるが、それを国家レベルではなく、地域ごとに作っていった。ソヴィエトに参加して、みんなでみんなの生活の方法を決めていく。直接民主主義だ。それを基盤に、彼は戦った。戦い方も奇襲作戦を行うなど、大変ドラマチックだ。そして勝ち方がすごい。そしてもちろん（？）、負け方もすごい。ロシア共産党がいかにむごたらしいのかがよくわかる。共産党に裏切られ、ボコボコにされ、国外に追いやられてしまう。

本書を通じて、党や国家、あるいは権威や資本主義がいかにひどいのかが理解できるだろう。一度権威やお金を持つとどれだけ恐ろしいかがよくわかってくれると思う。アナキズムは、それらと戦い続けることだ。現在にあっても、私たちは国家に蹂躙されている。資本主義に疲弊させられている。日本とて例外ではない。アナキズムの戦いは終わらない。未来は永く続く。私たちは本書でひとまず、過去に学ぶ。それを引き受けた上で未来に挟まれた現在、私たちは、何をどう見据えて生きていくべきか。

とにかく、アナキズムに入門するしかない。本書を手にとって一人二百冊くらい買ってくれれば、私はあなたにビールやコーヒー、あるいはルイボスティーをおごれる。多分。しかしながらできれば、互酬性無き贈与の関係を生きていきたい。なので、本書を買ってもらわなくても、おごれるようになりたい。一緒にだらだらお喋りしたい。いずれにせよ、本音は、図書館で借りるのでもいいから、読んでほしい。いざ、アナキズム入門！

第一章

# 革命――プルードンの知恵

ピエール＝ジョゼフ・プルードン（1809-1865）

## †アナーキー・イン・ザ・フランス

権威を中心に構成されるならば、そんな社会は要らない。ゼロ・権威宣言。アナーキーという語にはそんな言葉の含意がある。アナーキーとは「支配がない」という意味だ。接頭辞の an は否定、archie はギリシャ語の archē からきている。archē はギリシャ語で、「根源」だったり、「政府」だったり、「統治」とか「権力」ということだ。だから、はじまりはない、政府はいらない、統治はいらない、権力はいらない、この考え方をひっくるめたのが「アナキズム」だ。このことを本書でつかみ取ってくれれば嬉しい。そんなこんなであるが、「アナーキー（アナルシー）」という語を理論的にはじめて使った人がいる。ピエール＝ジョゼフ・プルードンだ。そう、アナキズムの生みの親と言ってもいいかもしれない。

プルードンが生まれた時代。それは、革命の時代だった。ヨーロッパでは戦争に次ぐ戦争。そんな中フランスも例に漏れず、戦争に次ぐ戦争。戦争にはお金がかかる。重税を取り上げるために王が訳のわからないことを言い出す。たまたまフランスに生まれただけなのに、税金の支払いに一生をかけるなんてまっぴらだ、そんな思いが広がっていった時期

有名な「サン・ベルナール峠を越えるナポレオン」。ナポレオンって、本当は結構ブスなのだが、ありもしないかっこいい自分の姿を、こんな風に描かせるなんて、正直、どうかしていると思う。

だったのだ。

　それと同時に、国家レベルでヨーロッパは「近代」というものが明確に輪郭をあらわにしていった時期でもあった。近代社会というものを捉える上で、重要な一契機にフランス革命が挙げられるのは、なんとなく歴史で勉強してきたことだ（なんとなく忘れがちだけども）。近代とは、国民国家という観点が鮮明になることだ。フランスという国家とそこに住まうフランス人、日本という国家とそこに住まう日本人というように。産業革命が物理的な側面で近代を規定していったのに対して、フランス革命は精神的な側面で近代を規定した。国民国家という考えが出来上がってくると、ナショナリズムという仕方でナントカ国家のナントカ人が論じられることがある。このナショナリズムの姿をあらわしたのが、プルードンが生まれてすぐの「ウィーン体制」だった。

　プルードンが生まれたのは一八〇九年であるが、その五年後にはフランス皇帝ナポレオンがエルバ島に流される。ナポレオンは戦争をしまくってヨーロッパをめちゃくちゃにしていた。そのナポレオンがめちゃくちゃにしてしまった後のヨーロッパをどうにかしよう、ということで、ヨーロッパ各国はウィーン体制について話し合った。ウィーン体制とは、簡単に言えば、きちんと独立国家をそれぞれ作りましょうね、ということだ。これまで、独立しているんだか、していないんだかの、ぼやぼやの状態だったから、ナポレオンが調子乗って、戦争しかけてきたんだからね、という、ある意味で反省的意味合いによって、この体制が敷かれることになった。

このウィーン体制を取り決める会議の中で、正統主義という考えが採用された。どういうことかというと、フランス革命以前の状態こそ正しいヨーロッパ秩序ですよ、ということだ。次節ではプルードンを語る前に、彼が生まれる以前のフランス事情を遡ってみてみることにしよう。

## †フランス革命

なんてったって世界初の革命である。私たちが夢にまで見る革命である。革命、嗚呼、なんと麗しい言葉。とにかく学ぶべきことがたくさんある。とはいえ世界史で勉強した人は、読み飛ばしてもらって構わない。

まずそもそも何でフランス革命が起こったのか。アンシャン・レジーム（旧体制）からの脱却ということでフランス革命は起きた。戦争をしまくったり、産業革命で大成功したイギリスから経済的な圧迫を受けて財政が落ち込んでいたフランスは、トップに王、次に司祭、順に領主、力のある市民、私のような下層の民衆、貧農、小作農によって大まかには構成されていた。当時王であったルイ一六世は七年戦争でお金に困っていた。七年戦争とは、フランス・オーストリア・ロシア・スペイン・スウェーデンVSイギリス・プロイセンの国境画定の戦いだ。この時、ルイ一六世はお金欲しさに、それまで税を課していなかった特権階級、特に司祭に課税を強いた。司祭からすれば、今まで税金払わなくて済んだのに、いきなり払えと言われて、不満タラタラである。

で、司祭たちは税金を払わなくて済むように、話し合いの場を設けた。それが三部会である。王以外の司祭や領主、ブルジョワによる国民議会と言ってもいい。この中で、司祭たちは、税金なんて払いたくありません、とみんなに要求し、加えて、領主らに自分たち司祭を支えるように伝えていった。これがそもそも勘違いだったことに司祭たちは気づかず、猛反発を喰らうはめになる。当たり前のように、領主やブルジョワたちからすれば、自分たちは重税を課されているのに、なぜ司祭には重税が課されないように要求をせにゃならんのよ、司祭を支持するなんてありえない、と怒り心頭だったのだ。司祭なんか、もういいよ、ということで、領主やブルジョワが立ち上がって、勝手に議会を立ち上げた。それが国民議会である。

この国民議会、もう王なんて無視。司祭もふざけんな、と言わんばかりに今までの鬱憤を晴らすべく、勝手にフランスの国のあり方を決めていった。実現に至っていないものもあるが、ここでは極めて重要な取り決めがなされたりもしている。身分制度の撤廃だったり、人権宣言の採択だったり、憲法を立案して選挙権を盛り込んだりもした。これが一七八九年のことだ。この間、王は亡命を企て、もうほとんど政治なんてしていないに等しい状態となっていた。そこで、皆だんだん気づきはじめてしまう。あれ、王がいなくても、勝手に国なんて成立してるんじゃないの、と。

もちろん当時フランス以外のヨーロッパ諸国は、王がトップにいまだに君臨している状態だ。王よりも国民が力を持つことに対してビビる。やばい、自分たちがいなくても国が成り立つことがバレてしまう。国体護持だ、と言わんばかりに、オーストリアやプロイセンをはじめとした国々は自国で革命が起きないように、ピルニッツ宣言なるものを発表する。ピルニッツ宣言とは、国内で革命しちゃダメよ、という宣言だ。

これに憤ったフランス国民議会は、こうした諸外国の圧迫政策に対して、戦争を仕掛けていく。革命戦争だ。自分たちこそ、正しいのだ、王などなくとも社会は形成できるのだ、と怒濤の勢いで攻めていった。とはいえ、今まで軍隊経験なんてない国民軍である。連戦連敗。軍隊経験などはない素人集団だ。それでも、自分たちの正しさを立証するために、興奮状態は続き、やたら士気だけは高い。ルイ一六世をとにかく追い出さないといかんということで、王政を敷いている連中を攻撃しはじめる。王のサイドも、タジタジだ。これにて、実質的に王政が停止。革命が本当に成功してしまった。

これに気を良くして、オーストリアに今一度戦争を仕掛ける国民軍はとうとう、ヴァルミーの戦いで勝利してしまう。素人なめるな。まさに、素人の乱だ。隣国にいたゲーテなんかは、この事件を知って、「この日この時新しい歴史がはじまる」なんて言葉を残している。

一七九二年にこのヴァルミーの戦いでルイ一六世を幽閉して勝利したものの、フランス国内は混乱状態。というのも、国民議会は徴兵制を国民に強いて、国民、特に農民が暴れだす(ヴァンデーの反乱なんかが有名)。とはいえ、次第に、お国のために戦争するんだぞ、富国強兵だぞ、という意識がフランス中に知れ渡っていく。ナショナリズムが出来上がっていくのである。この間、国民という概念や国家という概念が広がりを見せていくのである。

議会の中も大混乱だ。穏健なジロンド派や、急進的なジャコバン派がいつも議論しまくっている。ジャコバン派は左翼の語源にもなっている一派だ。というのも、議会の左側にいつも陣取って座って、戦争しようぜ！　と焚きつけていた陣営だからだ。こんな混乱の中でジャコバン派はジロンド派を追放していき、次第に恐怖政治へと突入していく。

ジャコバン派が制定した憲法に九三年憲法というものがある。平等の意識を明確に盛り込んだ憲法だ。身分の平等を以前の憲法以上に強調したもので、とりわけ反乱していた下層農民を仲間に取り入れていくためのものでもある。もちろん、みんな平等で素晴らしいのであるが、貧乏人も金持ちも同じくらいの税金を課すようになる。つまりは、平等の理念そのものは素晴らしいのであるが、再分配とかの意識に欠けており、双方から不満が出てきてしまう。ジャコバン派失脚である。

そんなこんなでジャコバン派もめちゃくちゃだ。翌年にはクーデターが起こり、ジャコバン派のトップにいたロベスピエールが処刑され、九五年には国民議会が解散していく。総裁政府が樹立され、短い間だったが、革命政権の質が大幅に変わっていく。もちろんこの頃には、憲法の中で、王の規定は全くなくなっており、専制政治体制はフランスにおいて完全に終わりを告げるようになっていく。

とはいえ、王党派はずっと抵抗し続け、総裁政府とはガチの喧嘩状態だ。国民も不安が募っており、力のあるものに寄り掛かろうとしていくようになる。

総裁政府はとにかく、王党派が面倒臭い。なので、軍隊に協力を要請するようになる。この軍隊のトップにいたのが、そう、ナポレオンである。

国外からはフランス以外のヨーロッパ諸国の対仏大同盟によってフランスは圧力を受け、国内では王党派が反抗して総裁政府はわたわたしている。協力要請を受けたナポレオンは、これがチャンス、と言わんばかりに、突如総裁政治をひっくり返す。有名なブリュメール一八日クーデターだ。つまり法的手続きを踏まずに政権を奪取してしまったのだ。こうしてナポレオンが実権を握った。独裁者の誕生だ。せっかく革命したのに、またわけのわからん軍人がトップに君臨してしまった。フランス残念。ここからナポレオン法典やらライン同盟やら産業育成やらいろいろナポレオンがやったことがあるが、ここではあまり関係ないので割愛。

英雄扱いされているナポレオンではあったが、次第に失敗が目立つようになる。当時、フランス周辺国はフランスと仲の悪いイギリスに穀物を輸出することで生計を立てて、イギリスの質の良い産業品を購入している諸国が多かった。ナポレオンはこの有様に目くじらを立てて、大陸封鎖を行う。ベルリン勅令だ。イギリスじゃなくて、フランスから産業品を買いなさいと偉そうに命じ、イギリスに対する経済攻撃を行ったのだ。イギリスだって黙っていない。フランス周辺国に圧力をかけるようになる。暴慢なナポレオン率いるフランスの態度に諸外国は不満タラタラ。各地で反乱が起こる。ナポレオンはそこで反乱を鎮圧するために武力で戦争を仕掛けるようになる。とりわけロシアとの戦いは有名だ。

ロシア遠征をしにナポレオン軍は破竹の勢いで進撃を開始した。が、しかし、である。フランス軍の前線の多くは、イタリアなどの外国から集めた兵士であった。イタリア人兵士からすれば、なんでフランスのために闘わにゃいかんのよ、と士気は大変低い。そりゃ、負ける。加えて、ロシアの冬は寒い、寒すぎる。やばい。あったかいイタリアから来た人たちはもう、タジタジ。大敗北を喫した。他の戦場でもヨーロッパ諸外国から袋叩きにあい、負けまくる。ついにナポレオンは失脚、エルバ島に流され、一件落着、ということだ。

で、ようやく、先に述べた、ウィーン体制の話に戻る。フランスはフランス革命以前の秩序こそ正しいのだ、ということで、ブルボン王朝が復活し、ルイ一八世が即位。最後のアンシャン・レジームとなる。

## †貧乏人、なめるな

こうしたフランスの時代の空気をふんだんに吸い込んでプルードンは育っていった。また彼が生まれた環境も彼の思想形成には重要だと思う。

フランスのブザンソンという町の郊外ラ・ムイエールでプルードンは生まれた。ブザンソンは、スイスに程近く、恐竜なんかで有名なジュラ山脈の麓の町だ。もともとフランス領ではなかった地方で、パリ政府には反感を持っている人たちが多かったともいわれている。父は桶屋をやったり、醸造職人をやったり、職業を転々としていた。まぁ、貧しい家庭であった。母はなかなかの肝っ玉母ちゃんだったらしく、プルードンは母親の影響を強く受けたという話もある。

貧しくても、凜とした精神の持ち主だったようだ。貧乏で、教科書も手に入れることができず、靴も買えず、裸足で学校に通う日々。母ちゃん、貧乏やだよう、学校行きたくないよう、となりそうなものの、ガンガン勉強して、周囲の大人たちもびっくりする有様だった。家の近所の神父たちも、驚いて、これは彼に教育の機会を与えた方がよかろう、ということで、周囲の協力を得て、古典語教育に力を入れる学校に入れてもらったりして、ギリシャ語やラテン語の教養を身につけていった。一九世紀とはいえ、やはり教養といえば、ラテン語である。神学を学ぶにしても、それは現在もそうではあるが、ラテン語が読解できなければ話にならない。そこで、古典的に教養を知り「世界という書物」（byデカルト大先生）を繙《ひもと》くことになっていく。

そんなこんなで類い稀な勉学の才能を周囲から見出されて育ったものの、やはり実家は貧乏暇なし状態。一九歳の時に、実家の家計を助けるために、泣く泣く勉強を中断、印刷屋で仕事することになる。とはいえ、彼は終生この仕事に基本的には従事し、職人としても独り立ちしていった。この間、フーリエの本の組版をしたり、印刷植字工の仕事をしたり、印刷所の所長を務めたりした。ラテン語やギリシャ語の勉強にも飽き足らず、ヘブライ語も学び、神学関係の論文をものしたりもした。もう、ちょっとした、田舎のインテリお兄さんである。

友人とともに、印刷所を開業したりしたが、共同経営していた友人が自殺してしまい、借金が大量にプルードンに残されてしまった。悲しむ間もなく、とにかく借金返済しないと、という状況で、賞金稼ぎがてら、ブザンソンの学士院という学会みたいなところに論文を提出したら、なんと、勉強のための奨学金を得てしまう。ラッキー、ということで、そのお金でパリに遊学しに行く。

「一般文法論」や「日曜礼拝論」という論文が彼の著作家としての最初の業績になる(一応それ以前にも『カトリック百科全書』にも神学関係の論文が掲載されている)。特にこの「日曜礼拝論」の中で、彼の境遇が表出しているところがあったりする。つまり、自分は借金まみれの状態だったので、お金を持つ者と持たざる者がなぜ生まれてしまうのかという疑問がついつい神学の論文であるにもかかわらず、出てしまったのだ。聖書の十戒を引用したりして、財産を所有することへの攻撃を仕掛けている。貧乏人、なめるな。筆で勝負だ。

### †盗まれるよりも自由を!

この間、フランスでは先のウィーン体制が揺らいでいく。一八三〇年には七月革命が起こったりしていた。原因としては、このウィーン体制で調子に乗ったブルボン王朝のシャルル一〇世が反動政治を行ったことに起因する。議会を解散させ、出版や選挙権を制限してしまったのだ。七月勅令だ。これに対して、ブルジョワ代表のラファイエットとティエールらがこの七月勅令に反抗して、シャルル一〇世ふざけんな、ということで彼を失脚させた。この反動王はイギリスへ亡命した。代わりに、というわけで、ルイ・フィリップという王を立て、立憲君主制による国家体制になる。この辺の話は、保守的な王侯貴族VSブルジョワやプロレタリアという図式でまとめられるだろう。

そうした背景がある中で、一八四〇年に彼の名を一躍有名にした書物が刊行された。『所有とは何か』である。ちなみに副題は「または法と統治の原理に関する研究」である。とにかく、レペゼン貧乏人。所詮革命が起こっても、ブルジョワによる革命。貧乏人の気持ちなんて取り入れてもらえない。王が去ってもまた王がトップに立つ政治では、貧乏人の気持ちなど理解できっこない。そんな怒りが爆発した。基本的には王侯貴族やブルジョワが私たちの富を牛耳っているから、いつまでたっても私たち貧乏人の暮らし向きは変わらないのだ。人が人を支配する。それが諸悪の根源だ。プルードンはこんなことを言っている。

人間に対する人間の統治は、いかなる名称を装おうとも、抑圧である。社会の最高の完成は、秩序とアナルシーとの結合に存する。(プルードン『プルードンⅢ　アナキズム叢書』三一書房、一九七一年、三〇〇頁)

アナルシーはここで「無政府」と訳すのが読解の助けになると思う。前後の文脈では動物の本能の議論を下地にしながら、国家制度なくとも、あらゆる生物は私たち人間も含めて、生きていくことができ、さらに述べるならば、それこそ、自然な生のあり方であり、富豪と貧者という区別なく生きることができるということが書かれている。そこから共和主義も立憲主義も民主主義も不要である、本能に則るならば、秩序ある無政府状態で私たちは生きることが可能であり、それによってこそ豊かに生きることができるのだ、とはじまりのアナキストらしい論を展開している。

この本はタイトル通り、政府批判だけではなく、その政府の根幹をなす財産の所有という概念に真っ向勝負を挑んだものだ。政府、特に王やブルジョワはとにかくなぜ偉そうにしているかといえば、私的所有という制度に裏打ちされて、ひたすら富む者として、国のトップに君臨しているからだ。そうした所有のあり方について批判的検討を加えたのがこの本だ。冒頭から攻撃的だ。

奴隷制とは何かという問いに答えなくてはならないとしたら、私はただ一言でそれは殺人だと答えよう。これで私の考えはすぐに理解されるだろう。人間から思考、意志、人格を奪い去る権力は死命を制する力であり、人間を奴隷にするのは人間を殺すことであることを証明するのに長談義は要しないであろう。ではこの別の問い、所有とは何かに対しても同様に、どうしてそれは盗奪だと答えてはならないであろうか。(『プルードンⅢ　アナキズム叢書』三九頁)

所有、それは盗奪だ！(『プルードンⅢ　アナキズム叢書』四一頁)

プルードンからすれば、奴隷制とは殺人だ。所有とは盗奪だ。所有をするというのは、基本的には金持ちのすることだ。許せない。こんな言葉がこの本の冒頭に来ている。もう少し詳しく見てみよう。

所有についてプルードンは大きくは二つのさまを規定している。私的所有と公的所有だ。この時の所有とは propriété のフランス語が当てられる。これに加えて、保有 possession がある。前者は権利と組み合わされれば、憲法やらで所有権と呼ばれたりするものにも当たるし、後者はもっと広く「持つこと」という意味合いがある。このようにして①私的所有・②公的所有・③個人的保有を腑分けする。まずは①②、つまり所有と、③の保有の区別から。

①②は③とは明確に異なる。所有権そのものはロックなどが規定しているように、それぞれの人々がそれを有する権利がある。しかしプルードンにとって所有権は、その他の権利と異なるのだという。つまり、ほとんどの権利は自然権であるのに対して、所有権はそうではないという論法をプルードンは取る。自由や平等といった権利は、自然権である。自然権であるということはどういうことかというと、私たち人間存在が生まれながらにして有する権利であり、私たちが死ぬと同時に永劫に消え去る。人間存在と不可分なのだ。

その一方で、所有権は個人を超えて、相続などされていく。つまり永続する。私的所有であれ、公的所有であれ、それは永続する。前提とされているのは、王の財産やブルジョワの財産であるのは明確だ。とりわけ王の子ども、王子やらは、王の血筋を引くというだけで、所有権が相続されていく。金持ちブルジョワもそうだ。しかし、保有はそれぞれの人間存在がそれぞれの生と密接にかかわり、そしてその死とともに消えて無くなるものだ。だから、保有に関しては、プルードンは否定しない。

もう少し細かい差異を見ていこう。①と③の区別について。プルードンの定義では、③は、保有している労働者の労働によってその保有が正当化される。それに対して、①は、所有物を使用したり、ともすれば乱用してしまうような権利だ。それは労働者が労働せずとも、他者から没収したりして利益を生み出すことだ。そう、所有している輩というのは、常に、盗奪する。日雇い労働がわかりやすい例だ（特に下請け作業なんかはいい例だ）。日当が私たち労働者に支払われる。しかしその日当とは、いろんな利益分が差し引かれて渡されている。本来労働とは多くの人たちが協力して何かしら生産物を生産することにあるが、その際、一人よりも数人で力を合わせて生産すると、一人で何かを生産するよりも何倍も何十倍も何百倍もの何かを生産できる。その利益分は、均等に配分されるのではなく、差っ引かれて私たちの手に入る。だから盗まれていることになる、とプルードンは考える。

じゃあ、みんなで所有していれば、文句はないのではないか、ということで、②が語られる。たとえばみんなが持っているものの帰属が国家にあると考えてみる。そうなるとどういうことになるかというと、それぞれの人間存在の生活も才能も国家の所有物だ、ということになる。これがプルードンが考える「共産主義」だったり「共有」というものだ。

こうなるとプルードンからすれば、自由を抑圧してしまうことになりかねない。自分がやりたいようにやる、そんな思い（自由意志という言葉をプルードンは使う）が、自分自身に還元されないではないか。国家のために生きている、そんなことになりかねない。勤労意欲だって損なうし、才能をいくら発揮していても、やる気にならないではないか。平等についても、自由に皆がそれぞれ生きたいように生きるのが平等という権利であるはずなのに、国家による画一的な平等がお上によって与えられる、ということになりかねない。だから、②もプルードンにとっては批判の対象となる。

このように所有や保有を考察し、プルードンは自由に力点を置いていく。彼はこう述べている。

自由とは平等である。なぜなら、自由は社会状態のうちでのみ存在し、平等を抜きにして社会は存在しないからである。／自由とはアナルシーである。なぜなら、自由は意志の統治を認めず、ただ法則の権威すなわち必然性しか認めないからだ。／自由とは限り無い多様性である。なぜなら、自由は法則の限界内であらゆる意志を尊重するからだ。／自由とは釣合である。なぜなら、自由は功績への野心と栄誉への競争にあらゆる活動の余地を与えるからだ。（『プルードンⅢ　アナキズム叢書』二九五～二九六頁）

先にも述べたように、プルードンにとって、平等とは自然の権利である。ということは人間存在と共にあるものだ。そこには生きたいように生きるという平等の権利がある。これすなわち自由でもある。それが満ちることで人間社会が構成される。そうした時の人間社会には、お上からの統制などあるわけがない。お上が平等を植え付けるのではない。平等とは自然の権利なのだ。だから人間が自由に生きる平等な社会には政府など必要ない。だからアナルシーなのだ。この時、考えられる法則とは、アナルシーの法則だ。自然の法則とも言い換えることができるだろう。その中で多様性は人間存在をも超えていく。そして自由である限り、人間は前へ前へと突き進もうとする。それが釣合だ。原語はproportionnalitéだ。釣合と呼ぶより、比例とか比例配分と訳出した方が、若干ではあるが、わかりやすいかもしれない。それに見合った成果を求める時の、のりしろのようなことだ。たとえばrésultat proportionné aux effortsで「努力に見合った結果」という意味なんかもある。いずれにせよ、自由があれば、頑張れる、生きていける、好きなように生きられる。

盗まれるよりも自由を求める。それがはじまりのアナキズムだ。

そもそもこうした自由や平等の考え方は、プルードンがおおいに吸ってきた革命の理念でもあった。フランスの国旗はトリコロールであるが、左から自由（青）と平等（白）と博愛（赤）であると言われたりする（とはいえ、俗説らしい）。いずれにせよ、革命の種はフランスのいたるところに蒔かれ、プルードンにおいてもその種は芽を出していった。プルードンだけではない。フランス全体にまた革命の花が咲く。二月革命だ。

今度は保守化したブルジョワとそれに業を煮やしたプロレタリアの衝突となる。一八四八年の出来事だ。

原因はまたも王だ。ルイ・フィリップは、王である一方で、バリバリの銀行マンでもあった。金融弄《いじ》ってお金儲けをしまくっていた。加えて、以前の七月革命は、とにかくブルジョワの革命であったことを思い出して欲しい。そうなるとどうなるかというと、銀行マンのルイ・フィリップはブルジョワが抵抗しないように、優遇政策を行って、もう革命が起きないように対策を講じていたのである。ブルジョワはそれでいいかもしれないが、プロレタリアからすれば、なんか、むかつく政策だ。しかもプロレタリアには高利貸しでお金を貸していた。ますますむかつく。不満を言うしかない。

そこでラ・マルティーヌという人やルイ・ブランという人たちが怒り心頭で立ち上がる。彼らが集会を開いて、マジでルイ・フィリップ王、ファックだぜ、と口々に文句を言い合っていた。そうこうしている時に、集会が突如、騒然とした。政府の役人であるギゾーが集会を潰しにかかったのだ。ギゾーの弾圧である。こうした弾圧に対して、怒り狂った民衆たちは、暴れまくる。文句も言えんのか、この国は、国王を出せ、馬鹿野郎。暴れに暴れて、ルイ・フィリップはフランスにいるのが怖くなったようで、イギリスへ逃げてしまった。よし、今が千載一遇のチャンス、と言わんばかりにフランス共和国を作る。王のいない国家だ。革命だ。自由だ。平等だ。

実はこの時、プルードンもルイ・フィリップを追い払え、と訴えたビラを刷って、パリ中で撒いていた。ただし彼の胸中は複雑だったようだ。というのも、革命はもちろんプルードンも続けていきたい。ただし、である。彼が考えていた革命は当時、社会革命であって、政治革命ではなかった。どういうことか。

政治革命とは文字通り、王のいない政治体制、つまり専制政治体制の打破にある。加えて言えば、ブルジョワが支配する政治体制の打破にある。彼が考える社会革命とは、これ以上に、私たちの生活やそれによって構成される社会のあり方を変えることにある。つまり体制が変わろうとも、私たち貧乏人の生活が豊かにならなければ、まったく意味などない。政治革命なんか起こしたって、私たちには何の関係もない。そうではなくて、私たちの生活が豊かになるように、根本的なレベルでの体制の、制度の革命をしなければならない、そう考えていた。

二月革命が生じ、ルイ・ブランたちは、国立作業所を実現させた。都市の労働者に仕事を斡旋するハローワークみたいな場所だ。そして、普通選挙権の拡大が試みられた。労働者にとっても、みんなにとっても、一見は面白い政策が実行されつつあった。しかし、国立作業所の運営はザルで、仕事も適当にばらまいているだけに過ぎなかったし、単なる慈善運動の域を出なかった。確かに都市の労働者には都合が良い政策ではあったものの、田舎の農民には全く関係のないハコモノだ。ブルジョワからしてもどうでもいいものだ。田舎の労働者、特に農民たちからすれば、都市にいるだけで、適当な仕事がばらまかれてずるいじゃないか、と批判の声も高まった。しかも当時のフランスは、人口のほとんどが農業従事者であった。だから、批判の声が高まるとどうなるかというと、ほとんどのフランス国民を敵に回すことにもなった。

次いで、選挙である。選挙というのは、いつでもロクでもない代物だ。結果として、ブルジョワ共和派が圧倒的勝利をおさめてしまった。金がある奴が選挙に勝つ。全世界、これすなわち真理。ルイ・ブランなどは、革命の立役者だったのにもかかわらず、非難轟々、選挙の結果、閣外に追い出されてしまった。もちろん、ルイ・ブランらを支持する都市労働者はパリで大々的なデモを行うが、政権なんてものはとったもの勝ちだ。ブルジョワ共和派の連中の鶴の一声で、軍隊だって動かせてしまう。ということは、何が起こったか、といえば、ルイ・ブラン派のデモを大弾圧する。国立作業所もあっけなく解体。

プルードンも選挙なんてほとんど信用はしていなかったようだが、なぜか立候補し、当選。実は同じ時の選挙で、ルイ・ナポレオンも当選したりしている。

アナキストたるもの、国会なんかに行くなよ、とは思うが、この頃は、まだアナキズムの萌芽の時代。プルードンはまだ国政レベルで何かできると信じていた節がある。で、一八四八年七月三一日に国会の場でこんなことを述べていたようだ。

「資本は恐怖している。そして資本の本能は間違っていない。社会主義は資本を監視している。……私は所有者が社会的清算を受け入れるよう督促する。……それが拒否された場合には、諸君ぬきで、われわれが自分の手で清算に取りかかるであろう」。そして「われわれというのは誰のことだ」という野次に答えて、彼は叫ぶ——「私が、諸君とわれわれという二つの代名詞を使うとき、今この瞬間、私が自分〔われわれ〕をプロレタリアートと同一視しており、諸君をブルジョワ階級と同一視していることは明らかだ。」議会は六九三票中六九一票の多数でプルードンに対する非難決議を採択する。だがこうして「議会の壇上で彼によって初めて、われわれが階級戦争と呼ぶものが明言され、宣告されたのである」（プルードン『プルードンI　アナキズム叢書』三一書房、一九七一年、三五五〜三五六頁、*Confessions*, Introduction de Daniel Halévy, p. 31ff）

山本太郎が「階級」なんて言葉を使ったら、現代のプルードンみたいなものだろうか。違うかな。思いつき書いてすみません。いずれにせよ、アナキストとはいえ、国会でも頑張っていたようだ。プロレタリアvsブルジョワの階級闘争を国会での議題に持ち込んだだけでも偉いと思う。

この頃から、彼は新聞を作るようになる。『人民』という名の新聞だ。実はこれ、後に発禁処分となる。発禁処分となるということは、読まれていた証拠だし、実際に発行部数は飛躍的に伸びていったそうだ。つまり、議会ではマイナーかもしれないが、多くのフランス人民は、プルードンを応援していたのである。

しかしその一方で、国会はいつでもきな臭い。一八五二年一一月の国民投票で、ルイ・ナポレオンが大統領に選出されてしまう。翌月には、なんと、皇帝ナポレオン三世を名乗り出す。有名なボナパルティズムとして知られる専制政治体制が敷かれるようになった。プルードンは怒りがおさまらない。だから選挙ってダメなんだよ、バカ、と言わんばかりに(自分も議員のくせにね)、ナポレオン批判の文章を『人民』紙上で矢継ぎ早に書いていく。これにブチ切れたナポレオン三世、プルードンを告訴して、監獄にぶちこもうとする。いつだって権力者のすることは恐ろしい。三年の実刑判決が下されたが、なんとかプルードンは一時的に逃亡。その後、こっそり帰ってきた時に、捕まって、投獄されてしまう。『人民』紙もこの頃に発禁処分になってしまうし、編集室は軍隊によって破壊されてしまう。ひどすぎる。ナポレオン三世。実はこの間、他にもプルードンは、低金利で労働者にお金を貸してくれる銀行を作ろうとしていた。お金だけではなくて、生産物の売買の仲介も兼ねた銀行だ。ちょっと面白い計画ではあったが、これももちろん、ナポレオン三世にぶっ潰されてしまう。

いずれにせよ、二月革命ではプルードンですら議員になってしまったりする、クレイジーな状況があった。やはり革命は楽しい。とはいえ、ナポレオン三世の出現で、あっけなく、二月革命は幕を閉じ、フランス第二帝政の時代が始まってしまった。

### †貧困の哲学

この頃、ナポレオン三世の体制下でのフランスはどうだったかというと、ひたすら戦争して出兵を繰り返す。国民の人気を保つために、対外進出して、ナショナリズムを煽り、「強い」フランスを打ち出していった。クリミア戦争やアロー戦争、インドシナ出兵、イタリア統一戦争などなど、いろいろ介入していく。ただ、この戦争介入作戦で成功すると同時に、失敗もする。一八六一年から一八六七年のメキシコ出兵で威信を失ってしまったのだ。

どんなことがあったのかをかいつまんで言うと、当時メキシコ政府は多額の借金に見舞われていた。で、利子なんか払えませんよ、と宣言した。メキシコにお金を貸し付けていたイギリスやスペイン、フランスは、怒り狂ってメキシコに出兵した。これにびびって、メキシコもいろいろ譲歩する。対して、イギリスとスペインは撤退。しかしフランス軍は留まり続けて、干渉を続け、なんとメキシコ共和国を倒してしまう。それに加えて、ナポレオン三世の采配で、オーストリア皇帝の弟マクシミリアンをメキシコ皇帝にしてしまう。当たり前だと思うが、これに起因して、メキシコの民衆は抵抗はするわ、アメリカが抗議はするわ、の混乱状態。もうここから訳がわからない。ナポレオン三世の兵隊もびびって、ついにマクシミリアンを見捨てて撤兵したり、マクシミリアンを処刑したりする。国家がやることはいつでも意味不明である。

こうしたナポレオン三世の采配に対して、フランス国内で彼の人気は低下する。一八七〇年には退位。ここからしばらくフランスはちょっと面白い。ナポレオン三世率いるフランスを憎んでいた諸外国が巻き返しを図り、ナポレオン三世に代わってトップに立ったティエール臨時政府が、国外からの攻撃を受けていたパリを放棄して、政府機能をヴェルサイユに移転させる。この時に、蜂起した市民や軍隊、特に社会主義者やアナキストたちがパリを占拠して、パリ・コミューンが成立する。パリ・コミューンについてはいくつも本やらがある。この点については、後述する。

で、プルードンに戻る。時間軸も少し戻したい。プルードンを語る上でも、重要な本が刊行されている。『貧困の哲学』だ。一八四八年に出版された本で、二月革命の二年前だ。

この本の本当のタイトルは、「経済の矛盾の体系、あるいは、貧困の哲学」だ。マルクスがこの書を罵倒したことで有名になっている。マルクスの本のタイトルは『哲学の貧困』である。逆さまだ。罵倒されて有名になっているからといっても、マルクスが勝っているわけでもないし、もちろんプルードンがダメな思想家だ、というわけでもさらさらない。ただし、この本は長いし、プルードン節がいたるところで披露されていて、ちょっと難解な書物だ。とはいえ、翻訳（特に平凡社ライブラリーで出ている斉藤訳のもの）が大変読みやすいので、是非、手にとって欲しい。

どんなことが書かれているかというと、大著なので、当然一筋縄ではいかないのだが、ここで紹介したいのは、「アンチノミー」（Antinomie）という考え方だ。アンチノミーとは、この本のタイトルにもある「矛盾」（contradiction）ともほとんど類似した意味で使用されている（細かいことを言うと違うところもあるけど割愛）。要するに「矛盾」という語として理解するとすんなりいく。どういった点でこのアンチノミーを使っているかというと、たとえば、こんな具合だ。

アンチノミーは二つの項からなる。二つは互いに相手を必要としながら、たえず反発し合い、互いに相手を破壊しようとする。くだくだ述べるつもりはないが、いちおう用語だけを示しておくと、二つの項の一方はテーゼ、定立と呼ばれ、他方はアンチテーゼ、反定立と呼ばれる。（ピエール＝ジョゼフ・プルードン『貧困の哲学　上』平凡社ライブラリー、二〇一四年、一〇八〜一〇九頁）

ヘーゲルなどに代表される弁証法という考え方がここにあらわれている。テーゼ、アンチテーゼ、ジンテーゼというやつだ。簡単に説明する。町の人口が増えてきて、鉄道利用者も増えてきた。今は二両の電車が走っているが、電車の車両もできれば四両にしたいし、それに見合うように駅のホームも長くしたい。これがテーゼだ。それに対して、鉄道利用者が増えてきたとはいえ、そんなに儲かっていない。車両を四両にはできるけど、それではホームを拡張できない。逆にホームを拡張できるけど、四両つなげることはできない。これがアンチテーゼだ。

ここで、大発見。お金の計算をしてみた結果、現状の余ったお金でできるのは、ひとまず、車両を三両にして、ホームも三両分に拡張していく、ということだ。この状況で様子を見て、いずれ、またお金が儲かったら、四両分の電車とホームを準備する。これがひとまずジンテーゼだ。おわかりいただけただろうか。単純化しすぎている気もするが、まぁ、いいでしょ。

で、こうした三両状態は、事実、四両に対応していない。正直、未だ矛盾を孕んでいる。つまり解決はなされていない。ただ発展的解決がなされているとみてよい。アンチノミーはこのアンチノミーのまま、しかし少しずつ解決の糸口がつかめるように、ゆっくりこの世界を変えていくことになる。「アンチノミーは生命と進歩の法則そのものであり、永久運動の原理なのである」(『貧困の哲学　下』五九五頁)。これがプルードンの考えたアンチノミーだ。

ここから少しこの本の中身の話をしよう。たとえば、「競争」について議論がなされる。自由の一つの表れでもある競争は、それぞれの人間が切磋琢磨して諸個人や社会を豊かにしていくものでもある。しかし同時に、格差を生じさせ、貧困や不平等をもたらしてしまうことになる。もうおわかりだろう。ここにアンチノミーがある。こうした状態を変えるためにはどうしたら良いか。

プルードンは、「労働の決定的な支配」が必要だと考える。どのように労働を支配するのかというと、これは、労働できる環境をひたすら整えていく、という点にある。政治的な革命によってそれは可能かもしれないが、そうではなくて、労働者の労働そのものを経済的な革命によって変えていくことにある。たとえば、労働者が労働をしていく上で、どうすればやりがいのある労働ができるかといえば、それを奨励していく、つまり報酬がご褒美としてきちんともらえるという状況を作っていかなければならない、ということだ。国家を作り変えるといった政治的な様式美にとらわれるのではなく、むしろお金のことを、労働者のことを真剣にまなざした考えだ。このとき、労働を支配するのは国家ではない。労働者自身だ。

## †マルクスのプルードン批判

こうしたプルードンの『貧困の哲学』をディスったのがマルクスである。私見ではあるが、マルクスのプルードンへの批判は、文字通りの批判というよりも、プルードンの考えのマルクスなりの徹底化のような気がしている。性格の悪いマルクスなので、どうも罵詈雑言が多いが、批判ではないということだ。ちょうどこの頃からマルクスは、経済学の研究に向かっており、思うところがあったのだろう。プルードンがあまり詰めていない箇所をさらに推し進めて論じているように読解できる。まずは罵詈雑言の方から。

マルクスは、プルードンの弁証法、特にアンチノミーの考え方がいい加減だと揚げ足取りをしている。たとえば、テーゼ、アンチテーゼ、ジンテーゼについて、マルクスからすれば、こんな風に考えることもできるではないか、と物申していく。

原初的には、競争は独占の反対だったのであって、独占が競争の反対だったのではない。それ故に、近代的独占は一つの単なる反定立ではない。これに反してそれは真の総合なのである。
テーゼ——競争に先立つ封建的独占
アンチテーゼ——競争
ジンテーゼ——近代的独占。これはそれが競争制度を前提する限りにおいては封建的独占の否定であり、それが独占たる限りにおいては競争の否定である。（カール・マルクス『哲学の貧困』岩波文庫、一九五〇年、一七〇頁　なお、旧仮名遣いや訳語は筆者によって修正が加えられている）

プルードンにとって、競争とは自由の発露であり、同時に格差を生み出すものであった。

その点でアンチノミーの最たるものであった。こうしたプルードンの考える競争を、マルクスはプルードン流の弁証法に則りつつ、しかし同時に、マルクス流に解釈して、罵倒していく（嫌な奴）。マルクスにとって、まず私たちの与件として、この社会には封建制度によって支配されているという事実が措定されている。ガッチガチの世の中だ。それに対して、そうではない、自由な商業形態、自由な経済状態を競争として考えるならば、それが反定立となる。

で、実際私たちの世界はどうなっていっているのかといえば、封建制度から名ばかりに自由な体制に成り代わっただけで、実際は、でっかい企業がほぼ商売や経済を独占し、その下で、私たちがそれを支えるように、自由競争とやらをしているに過ぎないではないか、そう悪態をつく。プルードンの考える競争なんて、たいしたことねぇ、と言わんばかりだ。

1861年頃のマルクス。顔からして嫌なやつ。ヒゲ、やっぱり、濃い。

次いで、「労働の支配」について。これにも罵詈雑言がちりばめられている。しかし、彼なりに生産的な考えを提示している。つまりはプルードンの考えのマルクスなりの徹底化が図られていると言ってもいいと思う。どういうことかというと、国家を変えていく、つまりは政治革命ではなく、私たちの経済的な革命を生ぜしめる、より具体的には、私たちの生活の仕方を変えていくこと、それがプルードンの考えだった。それに基づいて、労働者も国家によって労働を変えていくのではなく、労働者が労働者自身によって変わり、そして変えていくことが重要だった。しかしその方策をプルードンは語っていなかった。ここをマルクスは突っ込んでいった。

マルクスからすれば、「労働の支配」はもっと歴史的に積み上げられてきたものだ。だから糸を解きほぐすように、簡単な歴史的な話をする。マニュファクチュア（工場制手工業）から機械の導入や分業が進むことによって大工業が発達してきた。生活に必要な多くの物は、労働者自身が変わり、労働環境を変えていくことで生産がなされていったというわけではない。そうではなくて、むしろ、もっと工場の状況が変わっていったことで労働者とその環境が変わったのだとマルクスは述べていく。社会を労働者が変えていったよりもむしろ、工場が変わっていったことに起因している。「労働の支配」を考えるならば、社会よりも工場の方を緻密に考えていかないとダメでしょ、と罵倒する。そして加えて、その工場で今、労働者の意欲がそがれちゃう状況が生じているでしょ、と述べていく。

そこで労働者が変わっていかなきゃいけないのは事実なのであるが、マルクスからすれば、やっぱり敵は資本家だ、国家体制だ、となる。労働者自身が経済革命によって自分たちの生活を変えていく方に力点はない。やはり労働者は抑圧されており、抑圧されている階級の解放によってこそ、労働者が労働者らしくなれるんだ、と考える。やっぱり政治革命だ。制度を作り変えるしかない。資本家を一気に駆逐するには国家をひっくりかえすしかない。つまり、革命しかない。

『ドイツ・イデオロギー』という『哲学の貧困』以前に書かれたマルクスの書物があるが、この頃から、ずっと、主張は一貫している。政治革命が前提で、その内実としての様々な問題点をつぶさに見ていくために、経済学を研究しはじめていた。その矢先に、プルードンの『貧困の哲学』が出た。だから、潰しにかかったのかもしれない。そしてこのままマルクスは経済学のマグナム・オパスである『資本論』へと向かっていく。プルードンがマルクスを作ったのか、マルクスが我が道を進んでいったのか、いずれにせよ、歴史の一つの極めて魅力的な交差があったのは事実だ。

## †革命の理念

プルードンはマルクスの批判に対してほとんど答えなかった。というのも、晩年は、プルードンはプルードンなりに新たな経済学の書物を著す意図があったからだ。というか、そもそもマルクスの批判なんかどうでもいいや、と思っていたのかもしれない。一八五〇年から五五年頃にわたって経済学に関する手稿を残し、ブザンソン市立図書館に今もある（ちなみに、ウェブで読める）。マルクスをぶっ飛ばそうとしたのか、あるいは考えを刷新したかったのか、これからの研究が待たれるが、いずれにせよ、死人に口無しだ。

ちょっと話が前後しまくって申し訳ないが、時間をナポレオン第二帝政期頃に定位させて、もう一度プルードンの軌跡を追ってみよう。ちょうど投獄された時の頃だ。ナポレオン三世ふざけんな、マジでぶっ殺す。怒りに満ちたプルードン。しかし彼はペンで戦う人だ。獄中で革命の狼煙を上げる。それが『一革命家の告白、二月革命の歴史のために』という書物であったり『一九世紀における革命の一般理念』となる。前者が一八四九年、後者が一八五一年だ。

プルードンはここでもなお政治的な革命よりも、下からの革命によってでなければ、革命は真の革命たりえないと論じている。やはり革命の時代に生き、いつも上の階層の人たちだけの、つまりブルジョワだけの革命にうんざりしていたのだ。そうではなくて、田舎の人も、都市の労働者も、みんな一緒に社会を変えていくべきだと考えていたのだ。権威を中心に構成されるならば、そんな社会は要らない。ゼロ・権威宣言。

もう国家はめちゃくちゃだ。ナポレオンが跋扈《ばっこ》している。革命は必然だと、プルードンは気焔を上げている。もちろん、私たちにはアンチノミーがとりついている。少しずつ良くしていくしかない。だから、「永久革命」をしていくほかない。不断なる革命の闘争。それが私たちに残された道だ。仮に国家を一旦ぶっ壊して革命を生ぜしめたとしても、それでもなお、不満は残るに決まっている。常に、不満をぶちまけろ。常に革命を生じさせよう。プルードンのアナーキーという考えが、ここに位置しているのは間違いない。

こんな言葉がある。『革命の理念』の末尾の言葉だ。

されば臆病者の諸君、前進したまえ！　諸君の半身はすでに井戸の縁石のうえにある。諸君はすでに「共和国は普通選挙に優先する」と言った。もし諸君がこのスローガンの意味を理解しているならば、諸君はその註釈である次のようなスローガンを否認することはできないであろう。

「革命は共和国に優先する」（『プルードンⅠ　アナキズム叢書』三二四頁）

もう、選挙なんてやったって無駄だ。金持ちによる金持ちのための制度でしかない。そもそも代表を立てるなんて、ちゃんちゃらオカシイ。自分たちの社会なのに、その社会の運営を誰かに丸投げしてしまうなんてもってのほかだ。もう気づいてるでしょ。選挙やって、誰が勝ったのか。ナポレオン三世ですよ。ナポレオン三世は金持ちの味方でしかないでしょ。共和国は選挙によって成り立っているけど、その選挙で勝たせた奴が皇帝になってしまうことだってあるんだ。これは歴史的にも、ナチスの台頭やら考えると大変説得的だ（選挙の結果であるわけだ）。選挙には民主主義なんてない。もっと遡ってきちんと考えればわかるでしょうよとプルードンは焚きつける。じゃあ、どうするのか。革命しかない。選挙制度で担保される共和国なんて要らない。共和国そのものをぶっ潰すしかない。自分たちで新たに社会を作るしかない。だから、まずやるべきことは非常に簡単。革命だ！

プルードン、熱すぎる。しびれるぜ。

こののちに、プルードン晩年の著作がさらに著されていく。もちろん、先にも述べたように、公にはなっていないが、経済学の新たな構想もあったし、それと同時に、あるべき社会のあり方について議論したものを私たちは書物の形で読むことができる。釈放後のプルードンはフランスであらゆる活動を制限された。くそったれナポレオン三世。で、ベルギーへ亡命。この間、『戦争と平和』という本を書いたり、旺盛な執筆活動を展開している。トルストイがプルードンの元にやってきて、プルードンとの議論に感動し、後に同名の書物を著したりしているのは有名な話だ。

他にもこの間、ナポレオン三世の人気が陰りを見せはじめ、金持ちだけでなく、貧乏人からも人気を取り付けようと躍起になり、様々な妥協案が出されるようにもなってきていた。弾圧されまくっていた反ナポレオン三世派の運動も次第に弾圧されなくなる。むしろ反ナポレオン三世運動は再び盛り上がり、プルードンの考えはフランスで大人気になっていた。よし、ということで、プルードンはフランスに帰国。

ちょうどこの頃、ナショナリズムがヨーロッパ中で吹き荒れていた。ナポレオン三世が国外への政治干渉をしていたこともさることながら、イタリアでの統一運動でそうした機運が盛んにあった。プルードンからすれば、国家レベルでどうこうしようなんて、もってのほかだ。選挙して代表選んで、トップを立てたと思ったらすぐ王になって、また暴政。

もう、うんざり。ナショナリズムなんて批判せにゃならん。プルードンはこう考えた。この観点から描かれたのが、『連合の原理』だ。

## †来たるべきアナキズム

この『連合の原理』で書かれているのは、そう、国家なき社会のあり方についてだ。ナショナリズムなんてもう要らない。国家なんてもう要らない。そんなもんなくたって、私たちは生きていける。自由と平等が実現するのは国家の庇護のもとにではない。そうではなくて、国家なき状態で自由と平等が実現できるのだ。理想としては、一人ひとりがそれぞれ自らを統治していくことにあるが、なかなかそこまで到達するのは難しい。まずは国家なき社会を考えた場合、どういった制度が必要なのか、検討された本だ。国家なき社会とは言ったものの、プルードンのこの連合の考えの中には国家という観点は依然としてある。しかし従来のような中央集権的な国家ではない。こんなことを述べている。

要するに連合の制度は、帝政的民主政治、立憲的君主政治、中央集権的共和国が特徴としている、階級制あるいは行政と統治の中央集権制の反対のものである。その基本的な、特徴的な法則は次のようなものである。すなわち、連合の中では、中央の権威の権限は特定化されており、限定されており、数は減らされ、間接的となっている。そして私は、国家連合は、新しい国家の加盟によって発展するにつれてそうであると、敢えて強調したい。反対に中央主権的な諸統治の中では、領土の広さと人口の数とに正比例して、最高権力の権限は増大し、拡大し、直接化され、君主の管轄権の中に、地方が、村が、同業組合が、個人がなすべきことが加えられる。そこから、村の、地方の、のみならず個人の、民族の、あらゆる自由を消滅させる圧制が生まれる。(『プルードンⅢ　アナキズム叢書』三七二頁)

中央集権的な国家ではなく、それぞれの自治体制がより自主的に物事を決めていき、経済を形作っていくことがプルードンにとっては重要である。たとえば教育も教会や国家からは離れて、より自由な教育がなされるべきだなんてことも言っている。場所によって、言語も異なるわけだし、強制的に一つの言語でのみ教育をすることなんて、ちゃんちゃらオカシイ。後にフランシスコ・フェレールというスペインの教育者でアナキストが、自主自立の学校の理念をぶち上げ、一時期はスペインの学校のほとんどが、フェレールの考えに基づいて運営がなされていたなんてこともある。「近代学校」ないし「自由学校」とも呼ばれるのであるが、要は、こうした立場はアナキズムの学校観・教育観であるわけだ。で、国家よりも、州や県に、州や県よりも、郡や市に、郡や市よりも、それぞれの街に、権限を与えていくこと。これが連合の原理である。

国家連合とて、どこかの国家がなんだかんだ強くて、連合組織を作ることがほとんどだが、プルードンの考えている国家連合は、そうではない。それぞれが自由に独立しつつも、相互に支えあっていく連合体を考えていたようだ。一応、建前上EUなんかはそういうことになっているが、内容は、ご存知の通り、ドイツとECB（欧州中央銀行）やらが強大な権力を持っているに等しい（で、ドイツやECBに無理やり借金を背負わされたヨーロッパ南部の国々は取り立てにおびえているのが現状）。

一応プルードンの理想は実は二一世紀の現在に叶っていることにはなるが、やはり現状のアンチノミー（矛盾）の課題は山積みだ。このアンチノミーが解消されていき、未来はアナキズムのものになるだろうか。別様のアナキズムが存在するような気もする。

さて、そんなプルードンは当時の現状に不満を漏らしまくって、選挙の棄権運動に精を出していた。かつて自分も選挙に出て、議員になったものの、そんなのは、無駄だった。

くそったれ、選挙め。その一方で、やっぱり、選挙に出て国政を変えなければ、みたいな気持ちもあった。とても人間らしくて、いい。だから、彼を慕う弟子筋のような社会主義者たちが選挙に出ることも応援した。人の邪魔はしない、いい人。いずれにせよ、労働者が労働者としてより良い生を送って欲しい。それがプルードンの願いだ。

最晩年にこうしたことを念頭に書かれた本がある。『労働者階級の政治的力能』だ。この本では、労働者が政治の領域でも以前にも増して発言をしていき、よりその立場を獲得していったことを称賛しまくっている。人の邪魔をするどころか、どんどん人を元気にさせてくれる（マルクスとは大違いだ）。

この本の内容はサンディカリズムと呼ばれる、要は組合主義、組合運動に大きな影響を与えていった。もちろんこの本だけがサンディカリズムの構成要素というわけではないが、後の労働運動の拡大を考えてみれば、この書が重要である、ということは決して誤りではない。しかしながら、この本の完成を待たずして、プルードンは亡くなってしまう。志なかばである。一八六五年一月に彼は鬼籍に入った。

彼が亡くなる一年前にプルードンに刺激を受けた労働者たちが、第一インターナショナルを設立した。労働者たちの国際的な団体だ。この頃には、世界中にプルードンの名が知

第一インターナショナルのロゴ（ちなみにこれはスペインで使われていたもの）

れ渡っていた。良い人プルードン、人気者プルードン。だから、当然のように、彼の葬儀には彼の死を嘆く人々の長蛇の列が続いた。この長蛇の列に並び、後のアナキズムの歴史を作り上げていく闘士たちが数多くいた。

彼の死後、五年経つと、憎きナポレオン三世は退位し、諸外国からフランスは袋叩きにあう。この時、パリでは蜂起した市民たちが、大暴れする。プルードンの衣鉢を継ぐ者たちや、ブランキ主義者と呼ばれる、暴れん坊たちなどがパリを占拠し、パリの独立を宣言する。有名なパリ・コミューンだ。労働者や市民たちが中心となった自治政府であり、世界初の社会主義政権の誕生である。本書の第五章の登場人物である、エリゼ・ルクリュもパリ・コミューンの立役者となっている。いずれにせよ、プルードンが生きていれば泣いて喜んでいたのではないだろうか。

しかし、このパリ・コミューンは長くは続かない。ドイツ軍の支援を受けたフランスのティエール軍がパリを攻撃しにやってくる。特に一八七一年五月二一日から二八日は「血の一週間」と呼ばれ、大量のパリ市民が虐殺された。これにより、パリは再びティエールの統治下になり、この後いろいろゴタゴタはあるのだけれども、第三共和制という、私たちがほぼ知るフランスの政治体制に突入していく（厳密には第三共和制は一九四〇年までで、続く第四共和政は一九四六年から一九五八年まで、現在は一九五八年以降の第五共和制）。国家がやることはいつでもひどい。国家は要らない。権威は要らない。アナルシー！

いずれにせよ、ものすごく激動の時代を生き抜いたプルードンである。彼が編み出した、「アナルシー〔アナーキー〕」概念は、彼が考えた以上に、その後、どんどん豊かになっていく。来たるべきアナキズムの方へ、おもむろに。

第二章

# 蜂起——バクーニンの闘争

ミハイル・バクーニン(1814-1876)

## †奇人、バクーニン

私も含めて、多かれ少なかれ、皆、変な人ではあると思う。その中でも、バクーニンは結構、ずば抜けているところがあると思う。大柄で長い髭、その辺歩いていたら、なかなか目立つ風貌だ。もちろん、外見が変なわけでは決してない。貴族出身なので、お洒落だったりもする。バクーニンの振る舞いが変なのだ。あるとき、バクーニンは友人たちと（それもみんな一癖も二癖もあるような、マルクスやプルードンと）ぶっ続けで何晩も議論し続けた。まぁ、若ければ、あるいは体力があれば、こんなことできなくもない（もうできないけど……）。またあるときは監獄にぶち込まれた際に、一カ月の間に一六〇〇本もの葉巻を吸いまくり、ブランデーを常にがぶ飲みしまくり、食事を他の人の二倍以上食べまくった。

亡命している最中は、普通だったら目立たない格好に変装して、こそこそと移動したり生活したりしそうなものだ。しかし彼はなぜかイギリス国教会の牧師の格好をして、スイスの街を歩いたりしている。ただでさえ、大柄で目立つ。しかもスイスには、イギリス国教会の牧師なんてそうそういない。

まだまだある。世界各国の政府から要注意人物扱いのバクーニンである。そんな彼が手紙を送るときなど、ともすれば検閲されることもしばしば。だから暗号で手紙を書いたりして、仲間内で連絡を取っていた。だけれどもあるとき、暗号の解読表も同封して手紙を出したりしている。もしかしたら、いわゆる天然なのか、あるいは本当に馬鹿だったのかもしれない。とにかく、変人エピソードには事欠かない人物だ。こんなエピソードをひとたび知ってしまうと、こんなに愛すべき奇人は、そうそういない。

若い頃はそれなりに恋に落ちたりもしていたが、実の姉妹に対する愛が深すぎるがゆえか、姉妹の婚約の話が来ると、全力でそれを阻止したりしていた。はたまたバクーニンの友人たちや伝記によれば、異性に対する性欲もほとんどなかったという。もしかしたら、バクーニンの精神分析なんてあったら、そこから議論できる側面もあるのかもしれない（私の手には余るので、本書ではしません）。

そんなバクーニンは、一八一四年にロシアの由緒正しい貴族の家系に生まれた。父はイタリアのパドヴァ大学で学び、フランスの啓蒙思想に傾倒していたという。デカブリストたちとも交流があった教養人だった。デカブリストとは、専制政治に反対した貴族の将校たちのことだ。彼らが一八二五年の一二月《デカーブリ》に起こした反乱は、一二月党《デカブリスト》の乱と呼ばれている。当時はデカブリストたちの間では、こんな詩が流行していたそうだ。

雷のとどろくときがきて
眠っていた人民が蜂起すると
聖なる自由の軍隊は
その隊列にわたしらを見いだすだろう（松田道雄『ロシアの革命』河出文庫、一九九〇年、一七頁）

デカブリストの乱が起こる一三年前、ナポレオン軍はモスクワに迫った。飛ぶ鳥を落とす勢いのナポレオンだ。このままヨーロッパは全てナポレンオン率いるフランスの統治下になるかと思われた。しかし、である。前にも述べたが、ロシアの冬は、寒い、寒すぎる。ナポレオン軍は寒さに弱かった。しかも前線はフランス人ではなく、いわゆる外人部隊であった。士気なんて高いわけがない。なんで俺たちイタリア人がフランスのために極寒の地で闘わにゃいかんのよ。そんな調子だ。で、皇帝アレクサンドル一世率いるロシアは寒さに弱く士気の低いナポレオン軍を撃退した。よし、こうなったら、調子に乗ったナポレオンの鼻をくじいてやる。そんな勢いからか、ロシア軍は一転、ヨーロッパ中央部へ向けて反撃を開始した。その後ナポレオンは失脚、エルバ島へ流された。有名な話だ。

この一連の流れが一体どうしてデカブリストの乱と関係があるのだろうか。答えはこうだ。ロシアは確かにフランスに勝ったのだが、ヨーロッパ中央部へ向けて反撃を開始した際に、ロシアの兵士たちは気づいてしまった。自分たちのいるロシアより、ヨーロッパ中央部は、なんて自由なんだ。皇帝が仮にいたとしても、人権が保障され、代議制によって議会運営が円滑になされ、憲法なんて代物もある。何よりも自分たちの生活なんかよりもはるかに自由なのだ。ロシアの貴族将校たちは、少なくともインテリであった。フランス語もドイツ語も自由に話せた。だから、ヨーロッパ中央部の人々の自由を、そこにいる市民たちとの会話で直接知り、あるいは活字で知識を得ていった。我がロシアは遅れている。専制政治は遅れている。農奴制は遅れている。自由が欲しい、自由が……。

そこからロシアに戻った貴族の将校たちが中心になって、打倒専制政治、打倒農奴制を掲げて暴れた。これがデカブリストの乱だ。もちろん、皇帝側もあの手この手で弾圧していく。反乱に手を貸した者を容赦なく検挙し、文化不毛の地シベリアに流刑、あるいは先のような詩や文学作品、文章などを書く者が出てこないように、検閲制度を厳しくして、表現の自由を剝奪していった。

そしてもう一つの側面、農奴制の解放について。この後のロシアの運命が左右されるので、少し書いておきたい。農奴制とは、土地の所有者がそこで農民を雇うことだが、どこが農「奴」なのかというと、その農民を土地にがんじがらめにして縛り付けることにある。農奴は土地所有者の許可なく、自由に結婚もできない。ちょっとでも土地所有者のお気に召さなければ、体罰が加えられるし、もっとお気に召さなければ、シベリア送りにもされた。

一八三四年だと、すべての農奴の三〇%が八七〇人の、そして一五%が一四五〇人の地主に属していた。農奴の半数近くが、一部の土地所有者、つまるところ、貴族などの金持ちに支配されていたのである。農奴は、移動の自由もないし、ともすれば地主の家でまさに奴隷のようにこき使われた。農奴の売買は当たり前で、人権もへったくれもない状態だった。後述するように、こんな悪夢のような状況から抜け出した農奴が、ウクライナなどに逃亡して、のちにマフノ革命軍に協力した事例もある。

いずれにせよ、専制政治と農奴制からの解放は、このデカブリストの乱で盛り上がり、その後もロシアで何度もこの主題が炎上していく。最終的には、なんやかんやあって、ロシア革命が生じ、専制政治と農奴制の解放が成就する、というのが本書でも重要な流れになる（とりわけ、この「なんやかんや」を本書が語ることになると思う）。

こんなデカブリストたちと交流のあった父親がいたためか、バクーニン一家は貴族とはいえ、右翼というよりも保守、むしろリベラルな家庭だったようだ。そしてバクーニンの母である。母の親戚からは、時の皇帝の側近や大臣なんかを輩出しており、エリート家系であったようだ。その一方で、この家系から先のデカブリストの指導者でもあったムラヴィヨフ・アポストルという人をも輩出している。いずれにせよ、バクーニンがもしも奇人でなかったら、ロシア帝国内部でそれなりの要職にでも就いていたかもしれないし、あるいは貴族の立場から専制政治と農奴制に反旗を翻していたかもしれない。

しかし、私たちにとっては、奇人のバクーニンで良かった、はず、多分。デカブリストの乱で主張されていたことよりも、もっとラディカルな、もっと創造的な、もっと破壊的なそれがバクーニンの実人生であったのだから。

### †破壊と創造

バクーニンは暑苦しい。彼の文章を引く。

永遠の破壊と廃絶の精神を信じようではないか。それだけが、いっさいの生命の汲めども尽きせぬ永遠の創造の泉なのだ。破壊への情熱は、同時に創造への情熱なのだ！

（バクーニン『バクーニン著作集1』白水社、一九七三年、四三頁「ドイツにおける反動」）


破壊と創造。これがバクーニンの終生変わらぬ金言である。「スクラップ&ビルド」という手垢にまみれてしまった言葉がある。いずれにせよ、バクーニンなしにはこれらの言葉はなかったといっても過言ではない。すべてを破壊し尽くすことでしか、創造は生まれない。私たちが善き生を営むために、国家や社会はとても邪魔だ。私たちが、いくら戦争に反対しようとも、勝手に戦争をやらかす国家。戦争を始められたりしたら、善き生を送るどころか、死んでしまう。そんなん絶対、嫌。私たちが、いくら仕事をしたくないとしても、働かざるもの食うべからずという空気を醸し出す社会。そもそも「はたらかないで、たらふく食べたい」（by栗原康）のである。当たり前のように、お金とご飯を食うことが結びついていることがおかしい。関係ない。お金はお金で、ご飯はご飯だ。

だったら、そんな社会は要らない。そんな国家は要らない。特にバクーニンの時代、ロシアをはじめ、ヨーロッパの多くは専制国家であった。専制国家とは、皇帝がいて、そいつが国家の親玉として私たちを統治することだ。私たちがヒィヒィ汗かいて稼いだお金は、税金でむしり取られ、皇帝は贅沢三昧。その周りの奴らも、皇帝に群がって甘い蜜を吸っている。

こんな国に生まれたくて生まれたわけじゃない。たまたま私たちは平民として、奴隷として、貴族として、生まれてしまったばかりに、皇帝に恐れおののきながら、徴税にビビりながら、暮らしていかねばならない。税金が巻き上げられた結果、近所の道路の陥没がなおるわけではない。毎年大雨シーズンに起こる川の氾濫を治水してくれるわけではない。そうではなくて、皇帝たちは、うまそうなもの食って、オシャレして、私たちのお金を使って悠々自適に暮らしている。さらには、他の国を侵略して、他の国の人たちまで苦しめている。ヨーロッパの中央部あたりまでロシア帝国は侵入し、勝手に、言語政策を推し進めていく。税金をむしり取っていく。ロシア国内だけではない、ヨーロッパの東側は、ロシアにめちゃめちゃにされていたのである。そんな状況、許せない。

当時はバクーニンもそうであるが、若いインテリ層を中心に、もう、皇帝要らないよ、革命起こしちゃった方がいいよ、と怒りが溜まっていたのである。破壊して、創造しよう。

私たちの国家を、社会を。バクーニンは燃えていたのだ。

ここで気をつけるべきなのは、バクーニンは当初からアナキストだったわけではない、ということだ。革命によって国家をつくり直すことに傾倒していた。ということは、アナキストではない。アナキストは、国家すら不要だとする立場だからだ。アナキスト・バクーニンは、彼の実人生の変遷と共に練り上げられていくのである。アナキズムの方へ、おもむろに。

### †アナキズムの方へ、おもむろに

実は、当初彼は民族主義者であった（そして終生変わらず、民族的な偏見は常にあったようだ。たとえばスラブの民族運動に肩入れしていたし、ドイツ人はあまり好きではなかったようだし、ユダヤ人に対してもそうだったようだ。特に、後の宿敵マルクスはユダヤ系ドイツ人ときたもんだから、親しくしていた時期はあったとはいえ、罵倒するときに、人種の違いで文句を書いたりしている）。

バクーニンは若いとき、哲学好きの青年であった。彼は貴族の生まれであると先に書いたが、当時の貴族は、青年期になると、軍隊に奉公しなければならない。そこである程度働いていると、地位が得られ、専制政治下の官僚職に就くことができた。しかしバクーニンは軍隊であまり業績を上げることができず、軍隊であまり出世コースを望めそうにないと見切りをつけて、哲学の大学教授になって見返してやろうとしていたという。いずれにせよ、青年期の過ち（？）だろうか、両親の大反対を押し切って、モスクワへ哲学の勉強をしに行く。当時の現代思想であった、ドイツ哲学を勉強したくてたまらなかったようだ。

モスクワでは、青年貴族たちが哲学サークルを作り、ドイツ哲学をはじめ、フランスの社会主義系思想などの本を読んでは議論していた。中でもバクーニンはヘーゲル哲学を好み、抽象的な哲学をいかに具体的な実人生へとフィードバックさせていくかを考えるのに熱中していた。しかしモスクワでは物足りない。哲学のメッカ、ドイツに行きたい。ベルリンに行きたい。そんな熱が溢れてくるようになる。親から仕送りが絶たれてもなお、哲学熱、社会思想を勉強したい思いはとめどなく溢れる。そんな思いを見かねたのか、勉強を一緒にしている友人たちが、バクーニンに資金援助をしてくれることになった。なんせ、貴族の友達である。金は、ある。もちろん、バクーニンもサークルで頭角を現していたゆえのことでもあろう。こんなところにも、相互扶助がある。

ベルリン大学に向かうや否や、怒濤の勢いで勉強する。文章も書きはじめる。それが先に引用した「破壊と創造」の文章、「ドイツにおける反動」というそれだ。この文章は、若いヨーロッパの知識人たちの間で評判になった。若きマルクスですらこれを読んで感動したらしい。

タイトルの通り、ドイツの政治的・社会的領域の思想的言説は、バクーニンにとって、まだまだ甘っちょろいものだったのだろう。内容はこうだ。フランスで革命が起きた。これはやばい。ドイツでも革命が起きてしまうかもしれない。それに対して、神聖ローマ皇帝とプロイセン王がピルニッツ宣言などを表明してしまう。要は、革命が起きてしまってフランスの王がかわいそうだから、反抗する奴らには武装して抵抗しますよ、という宣言だ。

戦争になるなんて嫌なのは、いつだって民衆だ。民衆からすれば、革命も迷惑な話なのだ。ピルニッツ宣言によれば、革命が生じたら、王党派が革命勢力に対して戦争を仕掛けることになる。民衆からすれば、また自分たちの生活がめちゃくちゃになってしまう。だったら奴隷のままでいいや……生活は辛いけど王様がいてもいいや……そんな風潮が社会に重くのしかかっていたのだ。

それに対して、バクーニンはこう言う。王のいる社会への希求がちょっと強くなりはじめているんじゃないの？　反動的な状況に傾いちゃってるんじゃないの？　もっともっとラディカルに行こうぜ！　そう焚きつけた文章だ。先の引用からも推測できると思うが、大変美しくも、アジテーションに満ちた文章だ。

とはいえ、ヨーロッパ社会はどんどん革命的状況になりつつある。若い知識人だけではない、農民たちも、専制政治に不満を漏らしている。そんな時期にバクーニンはドイツだけでなく、スイスやベルギー、フランスへと向かい、多くの知識人たちと知己を得ていく。特にパリでは、後の仲間であり、そして宿敵にもなるマルクスとも出会っている。またアナキズムの生みの親プルードンとも知り合った。特にプルードンとはぶっ通しで議論し続けていたそうだ。こんな逸話もある。知人の家で、議論を交わしていた彼らは、ある時、翌日に植物園に行く約束をしてある友人は先に帰宅。翌朝、その友人がバクーニンとプルードンを迎えに、その家に行くと、なんと、まだ同じ場所に座ったまま、議論をしていたのだという。プルードンもバクーニンもタフである。

そんなタフなバクーニン、一八四八年の二月革命にもちろん参加。国立作業所などのことはプルードンのところ（第一章）でも記した。このままヨーロッパで革命をどんどん起こしていくしかない、そんな気持ちを新たにしたことだろう。スラブ民族の革命派の大会に積極的に参加するようになる。「革命的汎スラブ主義」の旗印のもと、プラハで学生たちや労働者を焚きつけて、プラハ暴動を生じさせる。特に学生と労働者の自由をめぐって議論がなされ、それを強く訴えるために、街路でバリケードを張った。学生や労働者を弾圧する軍隊とは、まさに肉弾戦。バクーニンは相当暴れたらしい。何人も軍人をボコボコにしてやったそうだ。さすが元軍人だ。すごい。

他にも、音楽家のワーグナーも参加していたドレスデン暴動。そこにもバクーニンの姿はあった。ドイツは反動的状況で、革命的状況からは程遠いと思われていたのだが、ドレスデンの人たちは、自分たちの憲法を死守するべく立ち上がった。そこで街路で再び警察や軍隊と戦う。しかもワーグナーに来るように呼び出されたのだという。プラハのように、スラブ人の蜂起ではないし、そもそもドイツ人を実はバクーニンは嫌っていたし、憲法死守なんて、国家主義者のすることだし、行くか行かぬか、迷ったそうだが、ドレスデンに到着するや否や、我を忘れて、戦ったそうだ。そもそも勝ち目もなさそうなこの蜂起に対して、指導者たちの熱意にバクーニンの心は打たれたようだ。

この戦いは敗北してしまったものの、一度でも同じ釜の飯を食った者同士、どんどん仲間が増えていく。ファック・オフ・専制政治。戦えば戦うほど、仲間が増えていく。スラブ民族だけではない。ドイツ人だって仲間じゃないか。次第にスラブ民族主義だけを考えることから気持ちが離反していく。

この頃には、バクーニンはヨーロッパ中にその名を響き渡らせていた。もちろん、専制体制側からすれば悪名を轟かしていたことになる。そして、このドレスデン蜂起からの去り際に、逮捕されることになる。

## †監獄からの脱走

ドレスデンのあったザクセン公国内で逮捕されて、いきなり死刑宣告を受けたバクーニン。どれほど体制側から危険視されていたかがわかる。引き続き、身柄をオーストリア政府に引き渡され、ここでも死刑判決。いずれも、判決は死刑であったとはいえ、バクーニンを殺してしまうと、彼への同情から、数多くの反旗を翻す輩が出てきて、また革命運動でも起こされたらひとたまりもない、体制側はそう思ったのだろう。

で、今度はロシアに移送。今度は裁判すらない。皇帝は希少生物でも観察するように、バクーニンを生き殺し状態にして監禁。専制主義国家、恐ろしすぎる。ようやく祖国の地を踏んだと思ったら、いきなり監獄だ。およそ四年間はピョートル・パーヴェル要塞の監獄で禁錮され、後にシュリッセルブルグ要塞の監獄へ移され二年間そこで過ごすことになる。蜂起の現場で大暴れしていたバクーニンが、いきなり狭い監獄で心身ともに大きなダメージを被ることになってしまった。こんな獄中についての文言がある。

このように獄中でのたうちまわるかれの心に並行して、かれの健康も急角度にむしばまれていった。かれは痔と壊血病にかかり、歯は抜けてしまい、ひっきりなしの頭痛と呼吸困難と耳鳴りに悩まされつづけた。歯はなくなり、むくみのきたひげぼうぼうの容貌は、サクソンの監獄に入ったころの逞しい、どちらかといえばダンディな青年巨人とは似ても似つかぬものであった。鏡にうつる自分の顔に、バクーニン自身ぞっとしたと伝えられる。（大沢正道『バクーニンの生涯』論争社、一九六一年、七一頁）

専制主義国家にとって、民衆に人権などは、ない。気に食わなければ殺す。法律なんてあってないようなものだ。ひどい、ひどすぎる。しかしここで死に絶えるわけにはいかない。彼は決してあきらめなかった。まずニコライ一世に、長い手紙を書く。それが『告白』だ。この文章、実は、彼が生きている間は全く日の目を見ることはなかった。ボリシェヴィキによる革命が生じた後に、発見されたものであり、ポロンスキーという旧ソ連の学者が公表したものでもある。そこからいろいろ議論が続出した問題含みの書だ。というのも、素直に読むと、あのバクーニンが、皇帝に対してごめんなさい、許してください、とひたすら書いてある反省文にしか読めない。転向したのかバクーニン、裏切り者め、と思われるかもしれない。

現在のピョートル・パーヴェル要塞

しかし気をつけて読めばわかるように、バクーニンは決して肝心な仲間の名前を書いたりはしていないし、裏切ったりはしていない。ひいては、ニコライ一世に、ドイツやトルコの圧政下にいるスラブ民族を救ってやってくれ、とまで言っている。ニコライ一世はこれを丹念に読んで、メモまでとっており、のちに皇帝になる息子のアレクサンドル二世にも読むように渡している。しかし、バクーニンに対して、むしろこいつは監獄から出すな、と命令を下している。

一方、監獄の外では、バクーニンを助けるべく、彼の家族が、皇帝に働きかけていた。さすが貴族である。皇帝とつながるパイプがあったのだ。二度と革命運動なんかさせないとの約束で、シベリアへの流刑になった。とはいえ、六年間の長きに渡り、家族が働きかけていたのを考えると目がくらむ。流刑と言っても、監獄に入るわけではなく、若干の移動の制限はあったものの、通常通り(?)、仕事をして、恋をして、ご飯を食べて、寝る、といった生活に戻った。流刑先での上司は、なんと従兄弟。しかもシベリア総督であった。親戚が見張っているからには大丈夫だろう、皇帝側も安心したのだろうか。

いずれにせよ、ここでバクーニンはせっせと仕事をする。貿易関係の仕事だったようで、生活には困らないほどの額の給料をもらっていたようだ。そして結婚もしている。流刑とはいえ、結構楽しんでいたようにも思われる。従兄弟も保守的どころか、かなりリベラルな議論ができる人であったし、その周囲も、バクーニンに同情的で、皆優しい。ここで、英気を蓄えていったバクーニン。バクーニンにとっての「通常通り」とは、革命運動である。専制主義を打倒することである。国家をぶっ壊すことである。力もお金も蓄えた。何をなすべきか。バクーニンの答えは簡単だ。逃げるしかない。

周りも見て見ぬふりをしたのだろうか。あるいは信頼しきっていたのだろうか。事情はよくわからないところも多いが、移動の制限があったバクーニンであったが、仕事の都合で、ということで、極東まで出張の許可を得た。極東まで行けば、海がある。海の向こうに自由がある。無理矢理、船に乗船して、一旦日本にたどり着く。時は江戸時代。シーボルトと知己を得たりしたようだ。とはいえ、あまり資料は残っていない。妄想が膨らむ。この妄想(?)を膨らませた小説に葉室麟『星火瞬く』がある。内容はとてつもなく、面白い。一読をお勧めする(新撰組に後に合流する志士とバクーニンとの交流である。言うまでもなくフィクションである)。

アレクサンドル・ゲルツェン。後のナロードニキ運動にも大きな影響を与えた。

この後、アメリカへ船で移動。アメリカでは数人の思想家や革命家と会って、そのままついにイギリスへ。旧知のゲルツェンという友人が牡蠣を食べているところに、ズカズカと現れ、「牡蠣食ってるの? いいねぇ。ところでヨーロッパでは今何が起こっているんだ?」となんで牡蠣のことを聞いたのか、そんなことはどうでもいいと言わんばかりに、矢継ぎ早にヨーロッパの状況を質問攻めにしたようだ。

イタリアのナポリ近郊に居を構えて、バクーニンはここから結社を組織していくようになる。国際同胞団だ。なんせ秘密結社だったので、具体的にどういった結社だったのかほとんど資料が存在しない。フリーメイソンをモデルの一つにしたとも言われているが、どういった点がそうなのかも、よくわからない。謎は多いままだ。むろん、推測の域を出ないが、後に革命的社会主義者の「同盟」として知られるようになったことから、ある種のアナキストの結社であるのは間違いない。この国際同胞団の団員募集のパンフレットが『革命家の教理問答』の中にまとめられていると言われている。この文章自体は、後に書かれたものもあるが、ひとまず、このころにも語られていたであろうことをここでは記しておく。①あらゆる権力の集中するところ、つまり国家や宗教とは断固として戦うこと、②コミューンの自治を促しそれを守ること、③労働とは人間の権利であり、コミューンの基礎であること、④社会主義を③のために受け入れ、革命を起こすこと、⑤革命は平和的手段によっては達成されないこと、などだ。これまたアナキズムの方へ、おもむろに。

とにかく、革命を起こすしかない。そのためには仲間を作るしかない。すでにヨーロッパでは有名人となっていたバクーニンだ。しかも演説が上手いとされていたバクーニンだ。仲間を増やすには集会に顔を出すしかない。そこでまず、「平和と自由のための会議」に出席した。その会議はJ・S・ミルのような有名人も後援者に名を連ねているくらい大規模であり、かつ今の日本で述べられるようなリベラル層を中心に討論が行われていた集会だ。バクーニンからすればブルジョワ的で、鼻持ちならないような奴らもいたが、そこでも我が道を貫く。彼が登壇すると、やはり有名人、どよめきが会場いっぱいに広がったようだ。

その当時話したであろうことのほとんどが『連合主義・社会主義・反神学主義』の中に描かれている。①アメリカ合衆国をモデルにしつつ、ヨーロッパでも合衆国を作っていくこと。しかもそれぞれの地域の連合（州やコミューン）が自治を有し、それを基本原理として、王のいない共和主義的な制度を目指す。②労働者をひどい労働環境から解放し、経済制度を抜本的に見直すこと。個人の権利の平等に基づく労働者階級を全面的に擁護していく。③宗教はあくまでも個人の良心に依存する問題であり、国家レベルで宗教を強制してはならないということ。政治制度からも公共教育からも宗教は排除されるべし。

この会議での第一回ジュネーヴ大会では一〇〇〇人前後の人々が詰めかけて、バクーニンへの大喝采で幕を閉じたそうだ。しかし第二回大会になるとさらにバクーニンは我が道を進もうとする。先に述べた内容をこの会議の参加者全員に受け入れるように要求し、加えて共産主義を攻撃する。国家による共産主義をバクーニンはディスっている。たとえばこんな具合にだ。

私は共産主義を憎む。なぜならそれは自由の否定であるから、なぜなら自由なしに人間性を考えることは私にはできないから、私は共産主義者ではない。なぜなら共産主義はすべての社会力を国家の利益のために集中し、呑み込むから。なぜならそれは不可避的に国家の手中に財産を集中させるから。一方、私は国家の廃止、国家に固有の権威と偏愛の原理の根絶を欲する。国家はこれまで人間の道徳化、文明化を口実にしてのみ、人間を奴隷化し、迫害し、搾取し、堕落させることができたのだ。上から下へではなく、なんらかの権威によってではなく、下から上へ、自由連合の方法によって組織された社会と集産体あるいは社会的所有を私はみたい。国家の廃止を願うとともに、私は私的相続財産の廃止を欲する。それは国家制度以外のなにものでもなく、国家の原理の直接の結果である。諸君、私が集産主義者で共産主義者でないのは、この意味においてである。

(『バクーニンの生涯』一二二〜一二三頁)

国家廃絶。もうほとんどアナキズムである。ようやくバクーニンがアナキストとなってきたと言っても過言ではない。共産主義とはいえ、それが国家主導のものであれば、所詮、富はすべて国家に流れ込む。そうして集められた富は、その中心である権力機構によってうまく配分などされるのだろうか。今まで、専制体制で私たちは散々嫌な目にあってきたじゃないか。どうしてか。それは国家機構が、中央集権体制だったからじゃないか。仮に王が消え去っても、国家がある限り、そこに誰かが座る。座ったそいつとそいつの周りにいる連中が悪事をまた働くに決まっているじゃないか。構造は何も変わっちゃいない。アナキズムはそれをこそ撃つのだ。

相続財産なんて、もってのほかだ。誰も平等になりっこない。親が金持ちで、子どもが金持ちになるのなんて、当たり前じゃないか。相続財産があるからだ。貴族の子どもは貴族。蛙の子は蛙。貴族は金がある。文化資本がある。そんなの平等じゃないだろう。貧乏な家に生まれようが、金持ちの家に生まれようが、皆平等でなければならない。そんな社会があるべきだろう。

繰り返すが、注意すべきはここで「共産主義」と呼ばれているのは「国家による共産主義」だということだ。この後にたとえば、クロポトキンなんかも共産主義という言葉を使ったりするし、本書の冒頭でも共産主義やコミュニズムという言葉を使っていたが、使う人によってこの語の意味はそれぞれ異なるということだ。バクーニンにとって、「共産主義」とは「国家による共産主義」のこと、あるいは「権威主義」(後ほど出てきます)のことを指している。

リベラルな人たちからすれば、共和主義はよくても、国家廃絶なんて、よくわかんないし、怖い。そう思ったのだろう。しかしバクーニンは、マジだ。国家なんてファック・オフ。あまりこの考えに同調する人たちはおらず、第二回大会が開かれたベルンでのこの会議には人があまり集まらなかった。で、バクーニンは、こんな会議に出席するだけ無駄である、と思い、脱退。しかし仲間は増えた。バクーニンの思いに打たれた人たちも数名一緒に脱退したのだ。その中に、後で論じるエリゼ・ルクリュなどもいた。我が道を行けば、必ず、仲間は増える。そんな仲間たちと新たに、国際社会民主同盟を設立した。この道を行けばどうなるものか。危ぶむなかれ。危ぶめば道はなし。踏み出せばその一歩が道となる。迷わず行けよ。行けばわかるさ。

## †たばこがなくなっても、革命を吸え

矢継ぎ早に様々な会合に顔を出し、仲間を増やしていく、バクーニン。この同盟の仲間を引き連れて、今度はインターナショナルに加入する。インターナショナルとは、マルクスたちが設立した国際社会主義団体である。世に言う第一インターである。

とはいえ、ちょっと面倒だった。バクーニン本人は個人ですでにインターナショナルに加入はしていたが、団体で入ることに対して、拒否されたのだ。性格の悪いマルクスたちの他にも、ブランキ主義者や、イギリスの労働組合主義者たちがバクーニン一団の加入を拒んだ。バクーニンにインターナショナルが持って行かれてしまうのを恐れていたのかもしれないし、やはりマルクスはバクーニンを信用していなかったということにも起因する。

そこで形式上は彼らは国際社会民主同盟を解散して、それぞれ個人で加入した。その頃までに、バクーニンは仲間をどんどん増やしており、国際社会民主同盟に賛同する者たちがスイス、イタリア、スペイン、フランスに数多くいた。そんないわゆるバクーニン派がインターナショナルに加入した。

特に、時計職人を中心に集まっていたスイスのジュラ地方のインターナショナル会員とバクーニンは意気投合し、ジュラの中心人物であったギヨームとの交流はその後にいたるまで続いた。バクーニンがジュラの人たちと一緒に酒を飲み、ご飯を食べ、忌憚なく話し合い、喧々諤々議論していた時のこんな記録がある。

主要メンバーとの会合はその翌日にも再び行なわれ、バクーニンは巧みな話術で彼らの心をとらえた。それは例えば、ひっきりなしにたばこを吸う彼に向けての、革命になってたばこが手に入らなくなったらどうするかとの質問に、そうなったら革命を吸うまでだと答えたとか、彼の考える人間の幸福とは、「第一に自由のために闘い死ぬこと、第二に愛と友情、第三に科学と芸術、第四に喫煙、第五に飲酒、第六に食事、第七に睡眠」だと述べたという類いの弁舌の巧みさであった。（渡辺孝次「バクーニンとジュラ支部――社会民主同盟とロマン連合（続）」『一橋論叢』一九九一年二月号、一七七〜一七八頁）

どれほど、人と話すのが好きだったのだろうか。きっとそばにいたら、私たちの多くはイチコロでバクーニンに夢中になってしまうのだろう。たばこがなくなっても、革命を吸えば良い。こんな言葉がすらすら出てくる人になりたい（いや、そうでもないか……）。

そんなこんなで、バクーニンの人柄に惹かれ、かつ考えに惹かれ、多くのバクーニン派がインターナショナルに集まった。気を悪くするのはマルクスである。マルクスは、自分の言うことをきかなそうな奴が嫌いだ。相手がマジョリティでなければ無視すればいい。しかし相手はバクーニン。しかもバクーニン派もたくさんいる。無視できない。マルクスはインターナショナルが乗っ取られるとでも思ったのだろう。バクーニンに敵意をむき出しにして、いじめはじめる。マルクス、この嫌な奴。

## †バクーニンvsマルクス

先の共産主義をディスっていたバクーニンの文言を思い出していただきたい。マルクスと馬が合うはずがない。だって、マルクスは共産主義国家を革命によって生ぜしめ、そのための青写真を描いているからこそ、一躍有名になっていたのだから。しかもその拠点としたかったのが、インターナショナルだ。それがバクーニンに乗っ取られてしまっては、都合が悪い。だったら、バクーニンをいじめる。肝っ玉の小さい奴。

実は、先のジュラの人たちも、もっと広域でロマン連合というインターナショナルの支部に組み込まれていたのであるが、ロマン連合は、ジュラ地方だけではなく、都市部のジュネーヴも入っており、都市の労働者と地方の職人たちとの間で意見がよく割れていた。で、ジュラ地方はバクーニン派とでも呼ばれるような、ジュラ連合という別組織として独立した。他にも、インターナショナルのバーゼル大会でのマルクス派とバクーニン派もそれぞれ意見の相違が出はじめていた。

バクーニン派は相続権の廃止を訴え、賛成三二票・反対二三票・棄権一三票であった。それに対してマルクス派は、相続権そのものを廃止というよりも、その権利を制限するくらいでいいんじゃないの、という意見を出した。その結果、賛成一六票・反対三七票・棄権九票であった。バクーニンの勝利やんけ、と思いきや、インターナショナルの規約として、棄権は反対票とみなす、ということで、どちらの意見も共に否決されている。ここでもわかるように、事実上、バクーニン派は飛ぶ鳥を落とす勢いだったということだ。彼らこそがインターナショナルのヘゲモニーを握っていきつつあったということがわかるだろう。マルクスからすれば、面白くない。私のインターナショナルが奴らに取られちゃう、そんな気持ちにもなっていたかもしれない。谷川雁がかつて、大正行動隊を「俺の私兵」と呼んでいたことをも想起させる。そんなこんなでマルクスとバクーニンの関係はどんどん悪化していく。

彼らの違いを後に的確に表現した文章を引いておく。

個性の相違は、原理の相違のうちに反映されている。マルクスは〈権威主義者〉で、バクーニンは〈自由意志を強調する者〉であった。マルクスは中央集権主義者で、バクーニンは連合主義者であった。マルクスは労働者のために政治行動を主張し、国家を獲得する計画を樹てた。バクーニンは政治行動に反対し、国家を破壊しようとした。マルクスは現在生産手段の国有化と呼ばれているものに賛成し、バクーニンは労働者による管理に賛成した。争いは、アナキストとマルクス主義者との間でそれ以来ずっと行われてきたように、現存の社会秩序と未来の社会秩序との間の過渡期の問題に実際集中された。マルクス主義者は、社会主義と共産主義の究極の目標は国家の消滅でなければならないということに同意して、アナキストの理想に賛辞を呈したが、過渡期において国家はプロレタリアート独裁の形態で維持されねばならないと主張した。バクーニンは、今や革命的独裁という考えを放棄してしまって、一時的混乱の危険をおかしてさえ、できるだけ早い時期に国家を廃止することを要求した。一時的混乱の危険は、どんな政府の形態もそれを避けることのできない害悪よりは危険でないと彼はみた。(ジョージ・ウドコック『アナキズムⅠ 思想篇』紀伊國屋書店、一九六八年、二三六〜二三七頁)

バクーニンとマルクス。二人のインターナショナルの巨頭、一九世紀の活動家・思想家の両巨頭の間には、不幸にも(幸いにも?)、大きな考えの隔たりがあった。注意すべきは、こうした差異が強調されるようになったのは、後のことであり、当時は、お互いがお互いをひたすら嫌い合う関係に成り下がってしまっていた、という事実があるのみだ。お互いの自意識が過剰だったせいもあるだろう。こうした二人の関係をさらにこじらせた人物がいる。ネチャーエフという奇人だ。

## †謎すぎる奇人、ネチャーエフ

ネチャーエフは自称モスクワ大学の学生。ロシアで革命運動をしていたが警察に追われてスイスに逃げてきた男であった。むろん、これも本当か嘘かわからない。彼は後にドストエフスキーの『悪霊』に出てくるピョートル・ヴェルホヴェンスキーのモデルにもなった人物だ。この法螺吹きにバクーニンは虜になってしまう。バクーニンも入っていたピョートル・パーヴェル要塞の監獄から脱獄し、ロシアの革命委員会の代表と自らそう名乗った彼は、バクーニンから「ボーイ」とニックネームをつけられ可愛がられていたそうだ。そんな彼らは共同で七冊ものパンフレットを発行した。同じ監獄に入っていた仲間、同郷出身ということで、バクーニンも気が緩んだのかもしれないし、何よりも、ネチャーエフの革命への並々ならぬ熱意がたまらなかった。ネチャーエフは革命のためなら、人を殺してしまったって構わない、そんな意気込みであった。

この頃にバクーニンが書いたとされる『革命家の教理問答』は、ネチャーエフも共同で書いたとも言われているし、書いていなくとも、バクーニンがネチャーエフの影響を受けた箇所があるとも言われている。あるいは実はネチャーエフが書いたなんて説もある。たとえばこんな書き方がなされている。

革命家は死すべく運命づけられた人間である。彼には自分自身の利害もなければ、感情も愛着も財産もなく、名前すらない。彼のうちなるすべては、たった一つの特別な利害、唯一の思想、唯一の情熱——すなわち革命によって占められている。（バクーニン『バクーニン著作集5』白水社、一九七四年、四〇一頁）

先に引いたジュラでのバクーニンの言葉からすれば、だいぶ色合いが違うのがおわかりだろう。「愛と友情」なんてもってのほか。冷徹・冷酷に、ひたすら革命を生ぜしめる、それが目的だと言わんばかりだ。この文章が暗号で書かれたものを持ってネチャーエフは、一旦モスクワに帰って革命運動を展開しようとした。しかし、「感情も愛着も財産も」ない彼は、仲間の一人を殺してしまう。今度は本当に警察に追われてスイスに逃げてきた。せめて、財産は欲しいと思ったのだろうか、バクーニンに金儲けを進言する。それも、マルクスの『資本論』の翻訳をバクーニンに仕向け、出版社をこしらえて、仲介業者となって、金儲けを企んだのだ。翻訳の前金を受け取ったのであるが、この前金で、バクーニンは借金をいくらか返済するのみ。バクーニンは実のところ重苦しい『資本論』を翻訳するのが面倒だったようだ。この間、仲介役だったネチャーエフは、バクーニンを苦しめるような仕事はさせるな、復讐するぞ、という脅しの手紙をマルクス側に送った。しかもバクーニンからもお金をふんだくって、バクーニンのこれまで書いた文章などを持って、そのままロンドンへ逃亡した。この手紙に関して、バクーニンは書かれた内容を全く知らなかったようで、後に、バクーニンとマルクスとの悪化していた関係にさらに火に油をそそぐことになる。

## †リヨン蜂起

ネチャーエフが逃亡して、激昂したバクーニンはようやく目が覚めた。「愛と友情」のバクーニンが、「感情も愛着も財産も」ないネチャーエフと相性が良いはずがない。バクーニンの片思い（?）だったのか、ネチャーエフの奇行の一部だったのか、謎すぎる蜜月の間に、ヨーロッパは激動の時代を迎えていた。普仏戦争だ。ナポレオン三世率いるフランスとプロイセンがスペインの王位継承問題に首を突っ込んで、喧嘩した。いつでも為政者のすることは意味がわからない。しかもプロイセンにはドイツの他の国々も一緒になって参戦。あっけなくフランスは負けて、ナポレオン三世は退位し、フランスは第三共和制の時代へと突入というあれだ。

しかし、この時までフランスには、いろいろなことがありすぎた。フランスといえば、革命の発祥地。そもそもフランス革命は王政が嫌で革命が生じたのだし、その反動（?）でナポレオンが出てきたとはいえ、こいつも王様になりやがった。で、追い出したり、王政復古したり、それが嫌でまた革命して……そんなこんなで、第三共和制へと至っていくのではあるが、事態は単純ではない。専制主義と共和主義の単なる繰り返しというわけではなく、この間、様々な層が喧々諤々と議論しつつ、右翼も左翼も極右も極左も誕生していったのが事実だ。もう今までの、専制主義も共和主義も嫌ですよ、なんて人たちも沢山いたのは想像に難くない。そんな人たちが社会主義を標榜したり、アナキズムっぽいことを標榜したりしていたのであり、それらの層は極めて多様であった。

で、リヨンである。フランスはプロイセンに負けて、国内はもうしっちゃかめっちゃか。リヨンやパリは、とにかくプロイセンの支配なんて、ドイツの支配なんてまっぴらだ、という人たちが反対運動はするわ、武装をはじめるわ、これすなわち革命状態。

そんな状態にバクーニンが興奮しないわけはない。リヨンに行くしかない。リヨンに向かう途中、ロシアの秘密警察とばったり会って、実家の様子を根掘り葉掘り聞いたりして、挙げ句の果てに、秘密警察からカンパを募って、お金を奪っている。すごい。また途中に、ジュラの友人であるギヨームとも会って、膨大な原稿の編集・添削・加筆を彼に押し付けて、いよいよリヨンへ行く。

リヨンはもう革命状態であった。革命を語る者もいれば、フランスとして独立してドイツ連邦の一部として認めてもらおうとするわけのわからない派閥もいたりした。そんないいろんな人たちが公安委員会なるものを組織して、市庁を占拠していた。とにかく、革命状態。その場にバクーニンは入っていき、フランス救済委員会なるものを立ち上げて、声明文を書き上げ、多くの人の前で読み上げた。末尾には「武器を取れ！」と結んであり、革命状態の集会では、大歓声が上がったという。

その二日後、バクーニンらは市庁舎の中に入って、臨時政府を立ち上げた。途中、国民軍というプロイセン下のフランス軍がやってくるが、その軍隊を上回るほどの群衆が取り囲み、武装を解除させてしまう。よし、一気にリヨン革命だ。バクーニンらは、知事・市長・軍司令官の逮捕を命じる。これで万事オッケー。世界初のアナキスト・コミューンの誕生かと思いきや、である。逮捕する部隊がなかった。あれ。誰が逮捕しに行くの？　バクーニンたちはもたもたしはじめた。そうこうしているうちに、国民軍の支援部隊が続々と市庁舎前に来てしまった。今度は、群衆が囲んでどうにかなる数ではない。どうしよう。あたふた。フランス救済委員会の面々は次第に恐れをなして逃亡してしまう。気づけば、バクーニン一人。やばい、どうしよう。軍部に捕らえられ、地下室に放り込まれてしまった。あっけなく撃沈。

†続バクーニンvsマルクス

バクーニンはなんとか、友人に助けられて、地下室を抜け出し、リヨンを後にする。よほどこたえたのだろう。だって、革命を目前にして、逮捕部隊がいないということから、このマヌケな有様だ。がっくり。この後のバクーニンは、とても暗い。ぶつくさと文句が多い文章が数多く残っている。翌年に『鞭のゲルマン帝国と社会革命』というバクーニンにしては珍しくまとまった文章が書かれている（これはちなみに、先にギヨームに預けた原稿のうちの一つで、ギヨームはなるべくネチャーエフ臭がしないように編集やら添削やらしたようだ）。たとえばこんな文章がある。

そこに現われたのがサタンであった。この永遠の反逆者、最初の自由思想家、世界の解放者は、人間に対し、無知であること、野獣のように従順であることを非難した。彼は人間を不服従に追いやり、知恵の木の実を食べさせることによって解放し、人間の額の上に自由と人間性の刻印を押したのであった。（バクーニン『バクーニン著作集3』白水社、一九七三年、一七八頁）

暗い気持ちを持っていてもなお、バクーニンは自由を信じる。自由なくして善などない、生などない、革命などない。『連合主義・社会主義・反神学主義』でも、神などを信じるのは個人の領域で、国家や教育で宗教は分離させるべきだと述べていた。この頃になるともはやダイレクトに無神論を肯定的に語る。神などは私たちを従属させるものでしかない。自由など神がいる限り求めようがない。その一方でサタンは「永遠の反逆者、最初の自由思想家、世界の解放者」である。サタンこそ、アナキストだ。私たちは聖書によれば、アダムとエヴァの末裔だ。私たち自由を求めるものはむしろサタンの末裔と言ってもいいのかもしれない。ぐわっはっは。怖いだろう。

またリヨン蜂起について自ら反省もしている。「私がリヨンに来たのは、君たちと一緒に闘うため、もしくはともに死ぬためであった」(『バクーニン著作集3』九頁)。泣ける。それでいて、結構冷静に分析もしている。なぜパリではなく、リヨンだったのかというと、都市でもある一方で、農村とも密接な関わりを持つ都市であり、「都市の人民の蜂起と結合した農民の大衆の蜂起が、フランスを救う唯一の手段であったし、今日でもそうであることはだれにもわかりきったことである」(『バクーニン著作集3』三二頁)とまで述べている。

農民こそ最も虐げられており、彼らが立ち上がらなければ、フランスそのものが滅びてしまうとバクーニンは語る。農民は土地を耕して生活し、この土地への愛着があり、その意味で愛国心に満ちている。その農民の愛国心は常に国家に利用されて、その国家によって彼らはずっと騙されてきたとも言える。どう騙されていたのかといえば、この国が好きならガンガン税金納めてね、辛いけど、頑張ってね、と。農民が貧乏な生活を強いられるのも、国家が国を挙げて搾取してきたからであり、プロイセンに占領されたらさらにそうしたことは加速する。

だったら、リヨンという場所で、つまり都市の労働者も農民もともに立ち上がりやすい土地柄で蜂起をすることで、プロイセンはおろか、フランスそのものを、農民の立場から、そして労働者の立場から変革していくべきだ、そう考えていた。だからこの文章が書かれた時期にパリ・コミューンが立ち上がったのではあるが、パリの革命には結構冷たい視線を送っていた。所詮、大都会の頭でっかちなプロレタリアだけが、プチブルだけが革命を起こしたって、生活とは密接ではないのだから長続きするわけがない、と思っていた節がある。

これに対してマルクスはパリ・コミューンを大絶賛する。バクーニンとは異なり直接行動はあまり、というかほとんどしないマルクスであり、パリ・コミューンにももちろん参加していない。だけども大絶賛。彼が理論的に考えていたプロレタリアが立ち上がり、コミューンを作り出した。これは革命のモデルだ、と言わんばかりであった。マルクスは『フランスの内乱』で興奮気味にパリでの熱狂を書いている。もはや、先にも引いたように、両者の考えは大きく違いすぎるとしか思えない。

で、この年のインターナショナルはロンドンで開かれたのであるが、そこではもう、バクーニン派への当てつけのような議題ばかりを挙げて、マルクス派がバクーニン派をいじめ抜いていた。しかも欠席裁判のような状態だ。バクーニン派はロマン連合から分裂していることを理由に招聘されなかったり、ネチャーエフの行動を非難する決議を行ったりした。

これに対して、バクーニン派は、もういいよ、と言わんばかりに、インターナショナルとは別様にソンヴィリエで大会を開き、インターナショナルでよく議論されていた中央集権制を廃止することと、インターナショナルのそれとは異なる自治的で自由な連合としての新たなインターナショナルを組織することを要求した。

さらにその翌年のハーグ大会では、珍しくマルクス本人も出席して、バクーニンいじめに徹した。バクーニン派の活動を調査する委員会を任命し、インターナショナルの本部をニューヨークに移転するというわけのわからないことを決定した。ニューヨークに移転することで、バクーニン派をもはや手の届かない場所へと追いやるのと同時に、もう、マルクスも嫌になってしまったのだろうか、自らの手で事実上、インターナショナルをぶっ潰したに等しいことを言ってのけたのである。

加えて、である。先の火に油を注ぐことになると述べた、ネチャーエフのマルクス側への手紙を議題に乗せる。「バクーニンは、他人の富のすべてもしくは一部を着服するために不正手段を用い――それは詐欺である――さらに契約を履行しないために、自分自身でか手先を使ってか恐喝に訴えた」（『アナキズムI』二四八頁）という理由から、バクーニンを除名し、さらにギヨームをはじめとしたバクーニン派を除名。バクーニンがネチャーエフの手紙について知らなかったという事実も精査されずに、である。

もういいよ、マルクス、さよなら、マルクス。あんたは頭がいいけど、最低な奴だよ。バクーニンは反マルクス論や、マルクスをディスった文章を書きはじめる。さすがに、こんなひどい仕打ちをされてしまったんだから、ディスってもいいんじゃないだろうか。そしてこのバクーニンの文章、先に挙げたように両者の差異をまるまる見て取ることができる。少し長いが引用しておこう。

マルクスはきわめて聡明な人物であり、その上言葉のもっとも広い、まじめな意味において学者である。(中略)しかし何事にも二つの面があり、光には影が、すべての個人には欠点がある。それだからこそ、どれほどその人物が「美徳をそなえた天才」であっても、たったひとりの人間に、またどれほど賢明で思慮深くとも、少数の人間に、大衆を支配する権力を預けるようなことがあってはけっしてならないのだ。けだしあらゆる権力は、権力そのものに固有の法則によって、必然的にその濫用をもたらすのであり、またたとえ普通選挙によって任命された政府であったとしても、あらゆる政府は不可避的に専制政治に傾くものだからである。/したがってマルクスもまたその欠点を持っている。それは以下のごときものである。

一、まず彼はすべての職業的学者につきものの欠点を持っている。彼は教条主義者である。彼は自分の理論を絶対に信じている。そしてその理論の高みから、すべての人びとを軽蔑している。(中略)

二、マルクスの中には自分の独裁的で絶対的な理論に対するこの自画自讃と並んで、当然の結果ではあるが、単にブルジョアジーのみならず、自分の理論とは違った思想に基づいて反対する革命的社会主義者をも含めたすべての者に対する憎悪が入りまじっている。（中略）

権力を追求し、支配を愛好し、権威を渇望することが悪いのである。そしてマルクスはこの悪に完全に冒されている。

（中略）指導者にして鼓吹者たる彼は、権威主義的共産主義者であり、国家によるプロレタリアートの解放と新たな組織の信棒者である。（バクーニン『バクーニン著作集6』白水社、一九七三年、三八四〜三八八頁）

読んでいただければ理解できるように、ただ感情任せにディスった文章ではない。結構冷静である。この文章の通り、権威主義的共産主義者、あるいは国家による共産主義と、アナキズムとの立場が明確に異なるのがよくわかる。「あらゆる権力は、権力そのものに固有の法則によって、必然的にその濫用をもたらすのであり、またたとえ普通選挙によって任命された政府であったとしても、あらゆる政府は不可避的に専制政治に傾く」。

王がいようとも、プロレタリアが独裁しようとも、大統領がいようとも、国家は国家である。権力は権力である。構造は変わらない。私たちは国家が中央集権的である限り、搾取され続ける。自由がないがしろにされ続ける。ネオリベがでっかい建物が好きなのと同じで、社会主義政権もでっかい建物が好き。高層ビルやわけのわからないモニュメントを作るのが好きなのは、構造が変わらない。そうしたでっかい建物を作ることを成長の証として、あるいは象徴として、おち○ちんのようにおっ建てるのが好きなやつらなのだ。男根主義！　あーヤダヤダ。気持ち悪いわ、全く。

マルクスはむろん、猛烈に面白い文章も書く。アジテーションの天才だと思うし、多くの書物は現在もなお読むに値する。しかし、プルードンの時もそうだったし、バクーニンの時もそうであるが、本当に、嫌な奴！　そしてバクーニンの予言は、ロシア革命とその後のマルクスの名を借りた、権威主義者たちの所業を見れば、大当たりしているのは、偶然ではないだろう。

## †やはり奇人、バクーニン

リヨン蜂起の失敗と、マルクスにいじめ抜かれて、もう身も心もボロボロなバクーニン。

バクーニンは、もうご老体。もう引退しよう、そう決めたらしい。配偶者のアントニーナも、もう不安な生活に疲れていた。そんな中、アントニーナの兄が亡くなり、アントニーナはバクーニンとの子どもを連れて、もう実家に帰らせていただきます、と言わんばかりに、ロシアへ帰ってしまった。体調も悪くなってきた。もう安心して暮らしたい。亡命生活にも疲れてきた。いつロシアの警察が捕まえに来るかわからない。スイスで市民権でも得て、ゆっくり余生を送りたい。

スイスの市民権を得るためには、家を所有しているといいらしいと聞きつけ、どうにか、家を手に入れたいと思うようになるバクーニン。イタリアの活動家がバクーニンに家を買ってあげるよ、と優しく言ってくれた。やった。嬉しい。代わりにアナキストたちの集まれる場所にもしてね、と言われて、もちろんさ、と答えるも、その友人の活動資金を湯水のごとく使ってしまい、その友人からめちゃくちゃ怒られてしまう。ああ、なんで俺はいつもバカなのだ。もう嫌だ。どうせなら、死んでやる。革命起こして死んでやる。起こせなくても死んでやる。バクーニンはやけくそになった。

イタリアのボローニャで蜂起する報を仄聞《そくぶん》した。それに参加するしかない。それで死んでやる。計画はボローニャ市の城壁を二カ所ほど破壊して、革命家をそこからどっと導き入れて、市の重要拠点を占拠し、市を一夜にして手に入れるという算段だ。

これでどうなってもいい。そう思ったバクーニンは、もちろん、参加。しかし風向きがおかしい。この蜂起に関わる幹部が逮捕され、援軍が来るか来ないかわからない状態になってしまう。多くの者が逃げ出してしまい、万事休す、バクーニンはどうせ死ぬつもりだ

ベルンにあるバクーニンのお墓。ここに書かれているのは、(時代を考慮して?)文語調だと「能わざるを敢えてせざる者は、能うこともなしえず」という感じか。さしずめ「とにかく、なんでもいいから、やるしかない!」
バクーニンは亡くなってもなお、私たちを元気にしてくれる。

ったんだからと、ピストル自殺を試みようとするが、周囲に説得されて、坊主になって変装、再びスイスに帰ってきた。

スイスに戻ったら、もうみんなスッゲー冷たい視線でバクーニンを見る。この老いぼれ坊主め、と言わんばかりである。とはいえ、皆、毎月三〇〇フランずつバクーニンを支えるために彼が死ぬまで出してくれた。その頃、妻のアントニーナはスイスに再び戻ってきていたので、そこに落ち着く。一八七四年六月、バクーニンは友人に会いに、ベルンに向かう。ベルンで会った友人は、バクーニンの弱り具合に驚いて、すぐさま病院に入院させた。

入院中、集団の原理に基づく倫理学研究を書きたいと望んでいたバクーニン。もしも書かれていたら、どういった内容のものになっていたのだろう。秘密結社や革命を起こした小集団の倫理についてであろうか。あるいは自由を徹底して希求する人々における倫理についてであろうか。はたまたマルクスたちのような、嫌な奴らへのあてつけだろうか。妄想は膨らむばかりだ。

しかし人間には必ず死がおとずれる。七月一日、彼は還らぬ人となった。葬儀ではエリゼ・ルクリュやギョームら四〇人近くの人が参列した。決して多くはないが、ギョームは噎び泣き、ルクリュはバクーニンの衣鉢を継ぐようになる。

奇人、バクーニン。彼はとても魅力的だ。彼の言説と行動は必ずしも一致していない。自由と平等を希求する一方で、秘密結社の中で自らファシストのように振る舞っていたとされる記述もある。体系的な言説を残していないが故に、評価も大変むずかしい。しかしこの時代の蜂起を語る上で彼は確実に軌跡を残しているし、なによりも一貫しているのは、革命を起こすべく彼は生き抜いたということだ。

バクーニンというサタンは、今も、そしてこれからも、この世界に浮遊し、私たちに取り憑き、こう耳元でこの世のための幸福を囁くだろう。「第一に自由のために闘い死ぬこと、第二に愛と友情、第三に科学と芸術、第四に喫煙、第五に飲酒、第六に食事、第七に睡眠」。

第三章
# 理論——聖人クロポトキン

ピョートル・クロポトキン(1842-1921)

## †聖クロポトキン

クロポトキン——日本でアナキズムといえば、この人だ。いや、世界でもそうかもしれない。実は、「アナキズム」という語も、バクーニンの死後である一八七〇年代くらいからようやく使われるようになったという事実もある。プルードンもバクーニンも「アナーキー」という言葉は使ったものの、アナキズムという語は使ったことがなかった。

バクーニンたちとマルクスたちとの違いが浮き彫りになったのも、一八七〇年代に入ってからである。要は、当初は革命を起こすんだったら、だいたい同じ考えだ、という風潮から、その同じ考えの中の差異が時間を経るごとに明確になり、しまいには、国家レベルでの共産主義・社会主義がマルクスやレーニンの立場、それに対して無政府共産主義・社会主義が本書で扱っている流れになる、ということだ。この流れも実はクロポトキンが読み込んでいった歴史である。むろん、これは大雑把な見立てに過ぎないけれども、それでもなお、私たちはこのアナキズムの流れを追ってみることで、私たちの思考に、人生に使えそうなエッセンスを摑み取っていきたい。入門書なんだから、どうせなら、使えそうなものを摑み取ろう。

で、クロポトキンだ。なぜ、日本でアナキズムといえば、この人、なのだろうか。これには、日本のアナキズムの導入時期に関わりがある。時は大正時代。日本でアナキスト・社会主義者といえば、大逆事件で連座したものたち（幸徳秋水たちや金子文子たち）や、大杉栄・伊藤野枝たちがいる。彼ら・彼女らの多くが、海外の動向を取り入れた上で、新たに日本で社会運動・言説・思想を作り上げていった。明治時代から大正時代、そして昭和初期の翻訳能力はハンパない。社会思想系だけでなく、哲学や文学はもちろん、自然科学系の議論がドーッと翻訳されている。今でも日本の翻訳能力はものすごく高いし、世界でも類例を見ない高水準にあると思う。

日本に社会主義・共産主義の考えが導入される頃には、先ほど述べたように、国家レベルの革命思想と無政府的なそれとの差異が明確になっていた。その頃のヨーロッパでのアナキスト代表格がクロポトキンだったのだ。だから、日本のアナキストたちは、よってたかってクロポトキンを夢中で読んだ。あるいはクロポトキンを読んでアナキストとなった。日本でアナキズムを花開かせたのは、クロポトキンの影響だったと言っても過言ではない。はるか極東までアナキズムの花を咲かせたクロポトキンは、魅力的な種でもあり、彼自身極めて美しい花でもあった。聖クロポトキンなんて呼ばれたりもするくらい、人格者だったようだ。バーナード・ショウによって、こんな風に言われている。「個人としてクロポトキンは、聖者といえるほど優しく、彼の赤いふさふさしたひげと愛すべき表現は、ディレクタブル山（『天路歴程』第二部）の羊飼いさながらであった」（『アナキズムI』二六二頁）。

バクーニンがサタンなら、クロポトキンは聖人だ。私など、一生そんな風に呼ばれることはないだろう。個人として森は、心が狭く、本書でもわかるようなふざけた表現は、福岡の引きこもりさながらであった。ミドルネームに聖闘士《せいんと》・ファーストネームに元斎《げんさい》。聖闘士元斎。ああ麗しき響き。誰かこげん感じで呼んでくれんやろうか。サタンは嫌だぁ……。

### †クロポトキン、シベリアへ行く

なかなかクロポトキンそのものの話に戻れないので、強引に戻ろう。クロポトキンは、一八四二年にモスクワで貴族の家系に生まれた。バクーニンもそうだったが、ロシアでも有数の名門貴族の出である。でもって、当時のロシアの貴族はだいたい軍隊の学校に入る。クロポトキンも例に漏れず、その道を進む。

しかし、青年期のこれまた過ちか否か、わからないが、スムーズにエリートの世界へと進むことを拒むようになる。この間、皇帝やいわゆる上流階級の連中のヘドが出るような振る舞いを何度も目撃したり、専制政治を打倒しようとする旨の雑誌を読んだり、また一方で、学問の道へと進みたいという純粋な知的好奇心も芽生えはじめていた。成績は優秀であったし、近衛兵というエリート街道に向かうこともできないわけではなかった。しかしエリートだけの世界には飽き足らず、広く様々な世界を見てみたいという気持ちも高じ、知的好奇心もどんどん高まる。学校卒業後、多くの学生は、近衛連隊に志望を出すのが常である中、突如としてクロポトキンは、シベリアの連隊への希望を出した。

軍隊学校の上層部はビビった。あの優秀なクロポトキンがシベリアに行きたいだと?! 家族もビビった。我が名門家系の期待の星ピョートルがシベリアに?! 一悶着あったものの、クロポトキンの決意は固い。頑固だ。我が道を行きたい。この一悶着は皇帝の耳にまで入るが、皇帝の一言「行きたまえ、人はどこでも役に立つことができる」によって一件落着となり、まぁ、皇帝がこう言ってんだから、よかろうもん、ということで、クロポトキンはシベリアへ行くことになる。

シベリアへ向かったクロポトキン。今まで、クソみたいに窮屈なエリート世界から、一気に自由な空気を吸う。ともすればシベリアなんて文化不毛の地みたいな語られ方がなされるが、クロポトキンにとって、そこは文化不毛の地どころか、自然に溢れている。人々の知恵に溢れている。彼はシベリア州知事の副官の職を得て、様々なことをシベリアで体験することになる。

シベリアといえば、囚人が飛ばされ、強制労働がなされる場所でもある。彼はひどい扱いを受けていた囚人たちを目の当たりにする。囚人たちは鎖で繋がれたまま、途方も無いほどの草原地帯を移送させられ、結核と壊血病になりながら、生きながらにして死んでいるような労働環境が与えられていた。またある時は、ドゥホボール派の信者たちのたくましい生活を垣間見た。ドゥホボール派とはロシア正教の一宗派で、ウクライナやロシアをはじめ、各所で共同生活を行う集団である。文化不毛の地、圧倒的に開拓が遅れているシベリアの地にも彼らは厚い信仰心とともに住まい、そこで共同生活を営んでいたのだが、そのシベリアの自然環境にもめげずに、共同開拓を成功させていく様を見ていくことでクロポトキンは感動しっぱなしであった。この頃を回顧した文章がある。長いけれども、引いてみる。

私がシベリアで過ごした数年間は、よそではけっして得られない多くの教訓を私にあたえてくれた。私は行政機構という手段によっては、民衆のために役にたつようなことはなにひとつとして絶対にできないということをまもなく悟った。そのような幻想に、私は永久に別れをつげた。それから私は、人間や人間性ばかりでなく、人間社会の生活の内的な源泉ともいうべきものを理解し始めた。書物のなかなどにはめったに書いてない名もない民衆の建設的な労働、社会形態の発展のなかでこれらの建設的な労働が果たす重要な役割が、私の目にはっきりと見えるようになったのである。たとえば私は、聖霊否定派信者《ドウホボールツィ》たちの集団（中略）がアムール地方に移住したやり方を目撃したり、彼らがその半ば共産主義的な同胞組織によってえているはかりしれないほどの利益を見たり、国家の計画による開拓民がすべて失敗しているなかで、彼らの植民だけがすばらしい成功をおさめているのに気がついたりしたが、これらのことはけっして書物からは学ぶことのできないものであった。それからまた私は原住民たちと生活をともにして、原住民たちがいかなる文明の影響にも無関係につくりあげたあらゆる複雑な形態の社会組織がじっさいに動いているところをこの目で見たが、それはいわば私のその後の読書をあかるく照らしてくれる溢《あふ》れるような光を蓄積することであった。（中略）

農奴所有者の家庭に育った私は、同時代のすべての青年たちと同じように、指揮したり、命令したり、叱責《しっせき》したり、処罰したりすることの必要をおおいに確信して世のなかに出た。ところが、まだ若いうちから重要な仕事をうけもたされたり、多くの人々を扱ったりしたので、またひとつひとつの誤りがただちに重大な結果をきたすことを経験したので、命令と規律の原則にもとづいて行動する場合と、共通の理解を原則として行動する場合との違いが私にはわかり始めたのであった。前者は軍隊の閲兵式のときはじつによくその効果を発揮するが、実生活のなかではなんの役にもたたず、集中したたくさんの意志のきびしい努力にまたなければ、その目的は達せられない。そのころ私はまだこのような考えを政党による闘争のなかで用いられているような用語で公式化したことはなかったが、しかし私はそれまでつちかってきた国家的な規律に対するいっさいの信念をシベリアでなくしてしまったといっていいであろう。つまり、アナーキストになる下地ができつつあったのである。（P・クロポトキン『ある革命家の手記　上』岩波文庫、一九七九年、二七二〜二七四頁）

大変わかりやすい。実際に偉い役職に就いたクロポトキンは、知事からあれをやれ、これをやれと言われて、実務に取り掛かり、行政機構の立場だったので、民衆を先導しなければならないことが多かった。しかし、ことごとくうまくいかない。反対に、民衆が自ら率先してやるとうまくいくことだらけ。国家があーだこーだ民衆にいくら言っても、うまくいくもんじゃない。そうではなくて、民衆が国家なんか無関係にやりたいことをやりたいようにやる。そうしたときにこそ、うまくいくことがほとんどだ。もう、これに気づいてしまったクロポトキンは、アナキストの入り口に立っている。それに気づいたあなたもアナキストの入り口に立つ。

## †学者とアナキストの道へ

そもそもシベリアに行ったのは、学問がやりたかったのもある。学問と言っても、大学でうじうじ文献を読むことだけじゃない。そうではなくて、むしろ探検に行くことも学問だ。未踏の地へ行くことで、新たな人に会える。新たな自然環境を知る。地理学や人類学だ。クロポトキンはもちろん文献を収集しつつ、フィールドワーク、しかも未踏の地への冒険に出る。東シベリアや満州の方まで赴き、その地にずっと住まう人々と出会う。彼ら・彼女らの生活には、ヨーロッパで通用する意味での文明生活はない。しかし、そんな文明生活とは異なる仕方で極めて文明的な生を送っていることに驚きを隠せなかった。後に描かれるクロポトキンの代表作とも呼ばれる書物『相互扶助論』でもふんだんに語られることになるが、「未開」人は全くもって「未開」ではないのだ。後に、マリノフスキーやモース、はたまたレヴィ＝ストロースや私の大好きな同時代人グレーバーなどで爆発的に知られるようになる文化人類学者の先達と言っても過言ではない。

クロポトキンは、素朴な生活と温かな人情に触れ、その後に語ることになるアナルコ・コミュニズムの原型をそこに見ている。他の官僚はいつも武器を持って怯えながら、現地の人々と接していたが、クロポトキンは一人で出かけるときでさえも、武器など持たずに、親しくなるのが常であった。「大切なのは、信じることで、与えることではない」（「ゆーがらお友達」byキング・クリームソーダ）。

この間、地理学者としてクロポトキンは有名になっていた。未踏の地に足を踏み入れ、シベリア高地における自然環境の構造とそこでの人々の移動の歴史について学術論文をいくつも書き、発表していく。地理学といっても、現在のように、人文地理学と自然地理学とに分かたれる以前のものであり、双方の議論がないまぜになっているものである。氷河や土壌の堆積など地質を調査し、そこから時代を特定する。その上で、その地からの人間の移動を重ね合わせ、ステップ地帯からヨーロッパへの民族の移動やヨーロッパへの侵略を、気候変動による民族大移動という点から明らかにしていった。自然と人間の歴史を掘り起こす、まさに「知の考古学」(byミッシェル・フーコー先生)である。

こうした業績は、ロシアだけでなく、ヨーロッパ中の、ひいては世界中の地理学会・地理学者・歴史学者から注目を集め、クロポトキンの名は世界中で知られるようになった。学者としても、ものすごい。

そして同じ頃、シベリアに流された政治犯たちともよく接触していた。その中でも、クロポトキンは、ミハイロフという詩人(で政治犯)から影響を受けたようだ。ミハイロフは、サンクトペテルブルグでは知られた学生・詩人・活動家であった。彼は、『何をなすべきか』という著作で有名なチェルヌイシェフスキーの友人でもあり、ロシアの都市部で革命を訴えたかどで逮捕され、シベリア送りとなっていた。また彼は、サンクトペテルブルグの街の壁やらいたるところに、「若い世代へ」と題するビラを貼って、学生を扇動していた。ビラの内容は、なかなか良い。こんなことが大筋では描かれていたようだ。

われわれを苦しめ、知的にも、市民的にも経済的にも発展することを妨げている権力は、もはや必要がない。一八四八年がヨーロッパで失敗だったことは、わが国でそれが不可能だということではない。経済や土地関係がヨーロッパとロシアではちがう。ヨーロッパには農村共同体がない。われわれはおくれているが、それがわれわれの救いだ。ヨーロッパの不幸はわれわれの教訓だ。われわれには新鮮な力がある。この力で新しい歴史をつくっていけばいいので、ヨーロッパのまねをすることはない。信じなければ救われない。われわれはわれわれの力をふかく信じる。われわれの欲するのは、合理的な権力、言論の自由、検閲の廃止、人権の尊重、はたらくものの土地所有権だ。われわれは町人、ブルジョアがなくなってほしい。ロシアの希望は、あらゆる層のわかい世代からなる人民の党だ。すぐ行動にうつろう。一分も失ってはならぬ。(『ロシアの革命』六〇頁)

「一八四八年がヨーロッパで失敗」というのは、先のプルードンのところ(第一章)でも述べたようなフランス革命を中心にしたヨーロッパでの革命の伝播と、その反動化のことだ。で、ミハイロフからすれば、革命はロシアでは反動化をもたらすことなく、成功するに違いない、と。その際、ロシアの農村共同体の力を信じよう。そしてブルジョワはとくにかくいなくなって欲しい。もういてもいてもいられない。革命だ！　ミハイロフは熱い。

そんなミハイロフの文章は若者たちを興奮させた一方で、皇帝側は憤慨した。しかも、ミハイロフの仲間が裏切り、この文章の著者を売った。たちまちミハイロフは逮捕され、計一二年間にも及ぶシベリア送りとなってしまったのだ。そんなミハイロフは行政職に就いていたクロポトキンと出会い、当初は信用ならぬ男だと思っていたそうだが、なんせ相手は聖人である。案外良い奴じゃないか、というかものすごく話のわかる男じゃないか、ということで、クロポトキンに、ロシア中心部での、あるいはヨーロッパでの革命状況や、様々な詩、加えて様々な書籍や雑誌を教える。クロポトキンは、このミハイロフとの出会いが相当衝撃的だったようで、貪るように、ミハイロフに教わった雑誌や本を取り寄せては読んだ。下地はすでにアナキスト。それに輪郭を与えるように、ミハイロフに教わったプルードンの書物を熟読した。

ミハイロフはそもそも肉体労働なんてそんなに慣れた人ではなく、虚弱体質でもあったようで、クロポトキンと邂逅した頃にはだいぶ弱っていた。クロポトキンは病弱のミハイロフの言葉を、血として肉としていった。そんな中、病弱なミハイロフは革命への思いをたぎらせながらも、息絶えてしまう。それからクロポトキンにはミハイロフが乗り移ったのかもしれない。

ちょうど同じ頃、ポーランドからの政治犯がシベリアで暴れていた。警備隊と睨み合い、その警備隊の武装を解除させて、逃走したのだ。その計画も、命からがらのものである。シベリアから山越えをしてモンゴルへ向かい、そこから中国へと逃げおおせ、海岸に向かい、船に乗り、再びヨーロッパに戻る、という計画だ。無謀である。そしてその無謀な計画を実行に移していく最中、捕らえられ、逃走のかどで首謀者の五人が死刑になってしまった。

もう許せない。クロポトキンはそう思った。彼はとうとう、軍隊を辞めた。やってられるか馬鹿野郎。皇帝なんか糞喰え。クロポトキンの兄のアレクサンドルもまた辞めた。素晴らしき兄弟。もう、軍隊なんて、官職なんて、こりごりだ。大好きな勉強してやる。

クロポトキンはサンクトペテルブルクに戻り、大学に入る。そして、それまで世界的業績を叩き出していた彼は、ロシア地理学協会の職にもありつく。黙々とひたすら勉強をし、論文を書く。そんな毎日だったようだ。地図を作り、資料を読み込み、そして調査に行く。この間も、ミハイロフの亡霊が彼に乗り移っている。大学生だった彼の分まで勉強したる。そんな思いは強かったに違いない。加えて、調査旅行に行くと、決まって目の当たりにするのが、その滞在先での貧困問題であった。ある時、調査でフィンランドにいた。ロシアやその他ヨーロッパ諸国にぐちゃぐちゃにされていたフィンランドの人々。政治はもちろん、経済もとても機能しているとは思えない。これは誰のせいだ。ロシア皇帝のせいじゃないか。

そんなフィンランドにいる時に、ロシア地理学協会の書記に就かないかという打診があった。学問か、革命か。二者択一が彼の頭の中でよぎる。このままでいいのか。のうのうと地図を書いていていいのだろうか。貧困にあえぐフィンランドの人々、シベリアでのポーランド人たちの逃走劇、志半ばで亡くなったミハイロフが、彼の脳裏に去来する。

一方では人類を進歩させることについてもっともらしく語りながら、他方ではその進歩を促進させようとする人間が前進させようとしている民衆から遠く遊離して立っていたのでは、それはいらだたしくなるような矛盾をふるいおとそうと躍起《やっき》になっている連中のたんなる詭弁《きべん》でしかない。／そういうわけで、私は地理学協会に書記を辞退するむねの返事をしたのであった。（P・クロポトキン『ある革命家の手記　下』岩波文庫、一九七九年、二六頁）

単に学問か、革命かという二者択一であれば、クロポトキンはこの時、革命を選んだ。つまり「民衆から遊離して立った」学問など、クロポトキンにとっては無用の産物なのだ。しかしその後の彼の軌跡を辿ればわかるように、彼は学び続けている。そして、体系立ったアナキズムの理論書をものしている。いわば「民衆と共にある」学問をこの時選んだ。「頭だけ良いやつ　もうGood night　広くて浅いやつ　もうGood night」(by Suchmos)。だから両方を選んだと言える。つまり、学問もやって革命も起こす。

自分の学問は何のためのものだろうか。学者の知識は何のために存在すべきか。知識人たるもの、民衆と共にあり、そして勉学に励むべし。クロポトキンはそう考えた。知識人だけに囲まれて、知識人だけと議論をして、知識人だけに向けて論文を書くなんてまっぴらだ。世界に仮に知識人と民衆がいるとすれば、クロポトキンは、どちらかだけの立場などは選ばない。両方選ぶ。私たちは知識人であるとともに、民衆だ。浮き足立った詭弁など、もう要らない。浮き足立ったとしても、それを地に根付かせようとする姿勢が必要なのだ。それが具体的な私たちの生だ。

そういえば、ミハイロフがこう言っていた。スイスはやばいぜ、プルードンの弟子筋のバクーニンもいるし、革命起こしたい連中がわんさか集まってるぜ、と。とにもかくにもスイスに行くしかない。

当初クロポトキンは「資本主義の最高段階」（byレーニン）の都市の一つであるチューリッヒに赴く。さすが、スイス。亡命者やら、極左の論者やらがいる。革命を起こしたい人々にもグラディエーションがある。マルクス主義者はもちろん、バクーニン主義者、その中でも反戦派や蜂起派、党の必要性を語る者もいれば、サンディカリスト（組合主義者）もいる。クロポトキンは、ここで、自分の身の丈にあった議論を展開していそうな人々を少しずつ探り当てていく。アナルコ・コミュニズムだ。

チューリッヒの後に、ジュネーヴに向かう。そこで、第一インターナショナルに参加するようになるのだが、なんだか、微妙だった。というのも、ジュネーヴで出会った参加者は、まるで組合の趣味活動のような奴らばかりだったからだ。労働者は労働者で仕事が忙しくて参加できなかったり、指導者は議論せずに採択や投票ばかり求めていた。革命を起こす気が感じられない。クロポトキンは拍子抜けした。そして次第に腹が立ってきた。シベリアやフィンランドの人々の顔が思い浮かぶ。ミハイロフの顔が思い浮かぶ。地位も名誉も捨ててきた。決意は固い。それに比べて、なんだこの軟弱な奴らは。「自分に嘘をつくことなどできない（I will never betray my heart 'Betray My Heart'）」（by ディアンジェロ）。クロポトキンは、ジュネーヴを去った。

この間、ジュラ連合の人々は気骨がある、という噂話を仄聞していた。バクーニンがよく滞在していた、あのジュラ地方だ。第一インターの軟弱な奴らとは一味も二味も違った。クロポトキンはこう述べている。

私がジュネーヴの統一本部で見た指導者と労働者との間の乖離《かいり》は、ジュラ山麓には見られなかった。ほかの人々に比べてより知的であるとか、とくにより活動的だという人は何人かいた。しかし、それはただそれだけのことであった。ジェイムズ・ギヨームは、私が今までに会った人のなかでもっとも知的で博学な人間の一人であるが、彼は小さな印刷所の校正係兼支配人であった。（『ある革命家の手記　下』七三頁）

ジュラでは、指導者と労働者が乖離していなかった。いずれも自分たちのことは自分たちで決め、皆が指導者であり、労働者であった。二者択一ではなく、両方、なのだ。これはクロポトキンも気に入った。バクーニンとも仲の良かったギヨームはジュラでしぶとく活動していた。そんな彼を介してバクーニンのことを聞いた。伝説ではなかったのだ。彼は生きているのだ。ギョームだけではなく、パリ・コミューンに参加したものたちがこの頃ジュラに数多くいた。時計職人となって、家内制手工業の担い手となっていた。パリ・コミューンでの武勇伝や間抜けな話を聞いた。ワクワクする。これだ。クロポトキンの求めていた生活がジュラにあった。彼はギョームの仕事を手伝い、議論をした。「私たちは社会主義のことや、政府か無政府かというようなことや、きたるべき大会などについて活潑な会話を夢中になってかわしていた」(『ある革命家の手記 下』七七頁)。

当時ジュラ連合、とくにバクーニンによって唱えられ始めていたアナーキズム理論、そこで理論づけられていた国家社会主義批判——たんなる政治的専制主義よりもはるかに危険な経済的専制主義への恐怖——それに運動の革命的な性格などは、私の心を強く揺り動かした。しかし、ジュラ山麓に見られる平等な人間関係、労働者たちの間に見られる思想と表現の独立、運動に対する彼らのかぎりない献身などは、それよりもはるかに強く私の心を揺り動かした。こうして、時計工たちの間でおよそ一週間すごした後にこの山地を離れたとき、社会主義に対する私の考えはきまっていた。私はアナーキスト

になっていたのである。(『ある革命家の手記　下』七八〜七九頁)

アナキスト、クロポトキンの誕生である。

**†ピョートル・パーヴェル要塞再び……**

クロポトキンはジュラ地方がものすごく気に入った。家単位で、時計職人であったり、印刷工であったりするとともに、自分たちの生活の自主自立を維持するために、お上に文句を言い続ける。国家なんて信じない。社会なんて信じない。私たちの生活は私たちで作り上げる。お金の使い方も、教育のあり方も、みんなで話し合って決める。アナキズムの基本だ。クロポトキンは、自分のいるべき場所はここなんじゃないか、そう思った。ここで多くを学び、アナキストとして生きていきたい。そんな気持ちをギヨームに相談した。しかし、である。ギヨームに諭される。ギヨーム曰く、クロポトキンはインテリだし、頭がいい、文章も書けるし、何てったって、ロシアでは革命が起こるか起こらないかの渦中にある、あなたのような人こそ、ロシアで革命を起こす立役者になるべきだ、もちろん、またなんかあれば、いつでも戻っておいで、と。

クロポトキンは、悩んだ。そもそも、専制政治を打倒したい。皇帝をはじめとした奴らの政治に我慢ならなくて、ぶちぎれたのだ。ここで再びシベリアでのポーランドの人たちやミハイロフの顔が浮かぶ。くっそー、皇帝め、やっつけてやる。クロポトキンはロシアに戻った。

地理学の仕事をしつつ、活動家として、パンフレットを書いて各地にまいた。革命を起こすべし。国家を拒否すべし。皆が労働者として働き、皆がインテリとして訓練すべし。そうした人々が革命を起こす。インテリ革命家だけが革命を起こすのではない。皆が革命家となり、革命を起こすのだ！　この間の生活をこう振り返っている。「この二年間は高度に緊張した生活——内的な自我を形づくっているあらゆる組織がどの瞬間にも大きく動悸《どうき》をうっているように感じられ、人生がほんとうに生きがいがあるように感じられるときのあの横溢《おういつ》した生活——であった」(『ある革命家の手記　下』一一三頁)。

この時代、ロシアのいたるところで、反政府活動が盛り上がっていた。学生をしながら工場で働き、無残な労働現場に行って工場労働者を手助けしたり、裕福な階級の若者も農場や鍛冶屋を営んだりしながら、国家に頼らずに生きる方法を模索していた。自分たちのことは自分たちでする。そんなグループが数多く立ち上がっていた。密に様々なグループと連絡を取り合い、政府転覆の時期を狙っていた。だが、憲兵側も必死で、重要人物を逮捕していった。クロポトキンももちろん、反政府的活動をしていたのであるが、そんななか、目立った活動をしていないにもかかわらず、逮捕されてしまう。検事曰く「あなたは、現政府の顚覆《てんぷく》を目的とする秘密結社に属して、皇帝陛下の玉体に対する陰謀を企てたかどで告発されている。その罪を認めますね?」(『ある革命家の手記 下』一三七頁)と。ということでクロポトキンは逮捕されてしまう。畜生。一八七四年のことだ。しかも、あの悪名高き、ピョートル・パーヴェルに収監された。バクーニンが壊血病になり、ドストエフスキーも、チェルヌイシェフスキーも入れられ、数多くの人々を痛めつけた、あの要塞だ。恐ろしい。

このような歴史の亡霊がことごとく私の想像のまえに姿を現わした。しかし、私の思いはとくにバクーニンのうえによせられた。彼は一八四八年の革命のあとオーストリアの要塞監獄で二年間鎖で壁につながれていたが、その後ニコライ一世にひき渡されてこの要塞監獄に六年間閉じこめられた。それでもなお、この鉄血皇帝の死によって釈放されたときには、そとで自由に暮らしていた同志たちよりもはるかに元気にあふれ、いきいきとしていたのであった。「彼はそれを生きぬいたのだ」と私は自分にいいきかせた。「僕だって生きぬかなければ。ここでは絶対に屈服しないぞ！」(『ある革命家の手記 下』一四六頁)

なんとかしてでも、いつか自由の身になり、そとで大暴れしてやる。そう決意した。しかし監獄だ。どうなるかわからない。ある時など、ニコライ一世が直々にクロポトキンの監獄に説得にやって来た。自分の意思を貫きつつ頑固に、しかし、さらっと相手の機嫌を損ねぬように、皇帝の質問を躱《かわ》していく。またある時は、クロポトキンの周囲に収監されている友人が謎の死を遂げた。あるいは発狂した友人もいた。もう、恐ろしすぎる。気づけば、バクーニンと同じ、「監獄の業病」こと、壊血病になっていた。もうヘトヘト。立っても座ってもめまいがする。もう倒れる寸前。

そんな状況を見かねたのか、運良く(?)、陸軍病院の病棟に移された。病棟では、結構自由に、病院の敷地内を散歩できたし、家族や友人とのやり取りも、スムーズにできるようになっていた。この間、家族がクロポトキンの釈放運動を展開していた。その一方で、友人たちと連絡が取れるようになったおかげで、逃亡計画を練るようにもなった。もちろん暗号での手紙のやり取りだ。いずれにせよ、なんとか脱走するしかない。ある時、病院の庭で散歩をしていたら、クロポトキンは閃く。というのも、結構頻繁に、病院の門は開いていることが多い。なんとかここから脱出するしかない。散歩の時間に合わせて、門の入り口に馬車を用意してもらい、それに乗って逃走だ。少し長いが、クロポトキンが当時を回想した生々しい言葉をみてみよう。

ついに脱走の日が定められた、旧暦の六月二九日は、聖ペテロと聖パウロの祭日であった。友人たちは、その計画のうちに一抹の感傷をこめて、その日に私を自由にしようとしたのであった。彼らは、私の「なかは大丈夫だ」という合図に対して、おもちゃの赤い風船をあげて「外は大丈夫だ」という合図にする。それから馬車がやってきたら、道路に邪魔がないことを知らせるために歌をうたうと知らせてきた。

二九日には、私は外へ出ていくと、帽子をぬいで風船のあがるのを待った。しかしそんな気配はなにひとつなかった。半時間がすぎたころ、道路を馬車の走ってくるのが聞こえ、誰かが私の知らない歌をうたっている声が聞こえた。しかし、風船は見えなかった。（中略）

その日には、ありえないことがおこったのだ。サンクト・ペテルブルグのゴスチーノイ・ドヴォール（市場）では、いつも子どもの風船を何百となく売っている。ところがその日の朝にかぎって、たった一つの風船も見つからなかったのである。最後にようやく子どもの手にしている風船を見つけたが、それは古くてよく飛ばなかった。友人たちは眼鏡屋にとびこみ、水素をつくる道具を買って風船に水素を詰めたが、それでもいっこうに飛ばなかった。水素が乾いていなかったのである。時間は迫っていた。そこで、一人の婦人が日傘に風船を結びつけ、それを頭上高くかざして塀の外の道をいったりきたりしたのだが、私にはなにひとつ見えなかった——塀が高すぎて婦人の背が低すぎたというわけである。

この風船の故障ほどありがたいものはなかったことが、あとになってわかった。私の散歩の時間がすぎたときに、馬車は私が脱走したあとで通ることになっていた道筋を走りさろうとした。ところが、陸軍病院に薪を運んでいた十台余の荷馬車のために、狭い道路の真ん中にとめられてしまったのであった。荷馬車のウマが、あるウマは道路の右がわに、ほかのウマは左がわにというふうに道路いっぱいに雑然と立っているので、馬車はそれらの間をかきわけてゆっくりと進まなければならなかったばかりか、曲がり角のところではじっさいに立ち往生してしまったのである。もし私がそれに乗っていたら、私たちはみんなつかまってしまったであろう。(『ある革命家の手記　下』一七五〜一七六頁)

ということで、この日は脱走失敗だった。危ない、危ない。手に汗握る状態だ。この日のうちに、作戦を練り直した。合図を変えた。友人が病院の目の前の家を急遽借りて、その部屋でヴァイオリニストがヴァイオリンを弾くのが「道路に障害なし」の合図となった。いよいよ決行だ。その翌日の様子である。

四時になると、私はいつものようにそとに連れだされ、合図を送った。馬車の近づく音が聞こえ、二、三分すると灰いろの家からヴァイオリンの音が庭に響いてきた。しかしそのときには、私は建物の反対がわの端のほうにいた。門にいちばん近い——およそ百歩——小径《こみち》の端までもどってきたときには、歩哨が私のすぐ後ろにいた。「もう一度まわろう」と私は考えた。ところが小径の遠いほうの端にいきつくまえに、ヴァイオリンの音は急にやんでしまった。

不安にみたされたまま、十五分が経過したが、ようやく中止された原因がわかった。そのとき、薪をいっぱい積んだ十台あまりの荷馬車が門をはいって、庭の奥のほうの隅にいたからである。

そのすぐあと、ヴァイオリニスト——上手だった——が、人をうきうきとさせるようなコンツキイのマズルカをひき始めた。まるで「いまとびだせ——こんどこそだぞ！」といっているみたいだった。私は門に近いほうの小径の端までゆっくりと歩いていった。そこへいきつくまでにマズルカが終わりはしないかという心配でからだをふるわせながら。

端までいきついたとき、私はまわれ右した。歩哨は私の後方五、六歩のところに立ち止まって、よそを見ていた。「いまをのがしたら、もうだめだ！」そういう考えが頭のなかにひらめいたことを私は覚えている。私は緑いろのフランネルの寛衣をいきなりぬぎ捨ててから、駆けだした。（中略）

私は自分の体力に自信がなかったので、力を節約するためにむしろゆっくりと走り始めた。しかし二、三歩走りだすと、庭の反対側の隅で薪を積んでいた農民たちが「逃げたぞ！　とめろ！　つかまえろ！」と叫びながら、私を門のところでさえぎろうとして駆け出したので、私も命がけで走った。走ること以外はなにひとつ頭のなかになかった。（中略）走れ！　走れ！　全速力で！（『ある革命家の手記　下』一七七〜一七九頁）

映画のワンシーンのようだが、現実である。クロポトキンは、なんとか友人の馬車に乗り込み、逃げおおせた。これで自由だ。悪夢のようなない日々から解放された。なんだか力がみなぎってくる。友人たちは、亡命を企ててくれた。とにかく、ロシアにとどまっていては危ない。逃げる。なんだか、バクーニンの人生がクロポトキンにも乗り移ったかのようだ。

## †理論家クロポトキン

とにかく反撃を加えなければならない。しかしバクーニンのように、バンバン蜂起や武装闘争をするのは、自分の性に合わなかったようだ。これはもはやクロポトキンの特質である。やはり学者なのである。文章の達人なのである。彼は自ずからアナキズムの理論を明確に構築していくようになる。彼の武器はペンであった。

スイスのジュネーヴのレマン湖周辺地域からジュラ地方を行きつ戻りつして、まずはじめに『前衛』という新聞を友人たちと編集・発行していった。この新聞はスイスの警察によって弾圧され、消滅。続いてしぶとく、今度は『反逆者』という新聞を創刊する。この新聞は、スイスやフランスだけでなく、ヨーロッパのアナキズム、ひいては後に世界のアナキストたちが参照する新聞になる。というのも、後に『反逆者の言葉』としてクロポトキンによるまとまったアナキズム理論書の基になる文章が掲載されていたからだ。言葉による反撃開始だ。

実は、プルードンもバクーニンもアナキズムという言葉を使っていたわけではないし、アナーキーという言葉を使いこそすれども、そこに大きな意味合いは付与していなかった。つまり考え方としてのアナーキーやアナキズム、ないしアナキストといった概念群が明確に使われ、そして意味づけがなされるようになったのは、クロポトキンからであると言っても過言ではない。ということは、実はアナキズムの誕生はクロポトキンあたりからなのである。クロポトキンはこう述べている。

アナルシスト〔アナキスト〕集団は躊躇せずにこの名称〔アナーキー、アナルシー〕を受け入れた。はじめは「アン」と「アルシー」の間に小さなハイフンを入れることを主張した。この形式によってアナルシーという、ギリシア起原の言葉は「無権力」を意味していて《無秩序》ではないと説明したのだったが、やがて現在の形のままで受け入れ、校正者にも、また読者にもギリシア語の講義をするといった無用の手間をかけないことにした。／それでこの言葉は、イギリスの哲学者ベンタムが一八一六年に言った原初の意味、普通で共通した意味に復帰したのである。ベンタムは言う。《悪法を改革しようと思う哲学者は、この法律に反対する叛乱を説きはしない……アナルシストの性格は全く別である。アナルシストは法律の存在を否定する。その効力を拒否する。法律同様に効力を無視し、その執行に対して反抗するように、人々を煽動する》と。今では言葉の意味はもっと広くなっていて、アナルシストは現行法律を否定するばかりでなく、すべての既成権力、すべての権威を否定する。しかしその本質は同じままである。アナルシストは叛逆する——アナルシストが出発したのはここからである——いかなる形態であるかを問わず、権力に、権威に対して叛逆する。（クロポトキン『クロポトキンⅠ　アナキズム叢書』三一書房、一九七〇年、七五〜七六頁）

なぜこのようにアナキズムやアナキストという語を明確に語るようになったのだろうか。

これには背景がある。バクーニンの時代からそうであったが、インターナショナルの連中は国家主義者であった。それに対して、ジュラ地域の人々がとったのは反権威主義という立場であり、反国家主義という立場であった。要は国家主義ではない仕方で生活を営む・労働する・教育を行う等の考えを明確に伝えるために、この語を選び、語るようになっていったということになる。

ややこしいのは、先にも述べたことだが、「共産主義」という語だ。バクーニンの時代には共産主義という語は、あくまでマルクスらの考えのことであり、国家による共産主義という意味と同義であった。実はクロポトキンも共産主義という言葉を使う。無政府共産主義ないし、アナルコ・コミュニズムである。違いはもちろん明確で、国家に頼らず、コミューンや組合による共産主義である、ということだ。

この頃、共産主義と区別するためにバクーニンの死後にバクーニン派の人々は集産主義・コレクティヴィズムという言葉を使用するようになっていた。これも社会による共有化によって、その社会を運営していこう、という仕組みだ。これも国家主義ではない。集産主義の特徴は「各人はその能力に応じて働き、各人はその必要に応じて受け取る」点にあると言える。これは国家共産主義も同じだが、その構成単位が異なる。無政府か政府を認めるかの違いだ。そして、無政府共産主義は「各人はその能力に応じて働き、各人はその欲求に応じて受け取る」という立場をとるようになる。集産主義の進化系(?)だ。後述するが、欲求や欲望を中心に据えたのが、クロポトキンらの考えの新しさであった。

いずれにせよ、共産主義という言葉を使うのには抵抗があったようだが、無政府が必ずセットで使われるからには、国家主義ではない。そうした立場を明確にしたのがクロポトキンやルクリュだったのだ。

この『反逆者の言葉』に収められている文章はアナキズムの哲学・思想を学ぶにはもってこいだ。こんなに平易でわかりやすく、しかしどっしりと構えた仕方で書かれたアナキズム(アナルコ・コミュニズム)の文献はこれが世界初ではないだろうか。ちょうどこの文章が書かれていた頃、クロポトキンはジュラ連合の会議で、アナルコ・コミュニズムを到達目標とする旨を発言しており、集産主義をディスっている。というのも、集産主義の立場の人々も、クロポトキンからすれば、極めて抽象的なものを言う連中に成り下がっていたからだ。普段の生活実践に集産主義的なことを取り入れることもせず、ただただ政治革命だけを主張するのみであって、実際にアナキズムを実践しているとは到底思えなくなっていたからだ。

そんな状態には我慢ならんのがクロポトキンである。学問も日常生活も密接でなければならない。集産主義自体は否定はしたくないが、集産主義者たちが、もう、地に足ついていない。だから、集産主義という言葉は使いたくなかったのだ。それで改めて共産主義という言葉を使い、実生活ですでに革命的実践を行っているジュラの人々とともに新たに概念を発明したのである。それがアナルコ・コミュニズムだった。

この概念にいち早く反応したのはもちろんジュラの人々であったし、エリゼ・ルクリュやイタリアのアナキストで、バクーニンと行動をともにしたこともあるカルロ・カフィエーロであった。彼らもまた理論武装が得意で、彼らの文筆活動によって、このアナルコ・コミュニズムは広まっていった。フランスやイタリアなどに次第に広まり、スペイン、はたまたアメリカや中国、さらには日本にまで広がり、アナキズムといえば、アナルコ・コミュニズムのことであり、同様にアナキズムといえば、クロポトキンのことである、といった仕方で伝播していったのである。クロポトキンの理論武装によって、アナキズムは世界思想となりえたと言っても言い過ぎではないかもしれない。理論家クロポトキン、そこに彼は活路を見出していく。

†怒濤の文筆

先に革命後の世界を準備する。むしろ革命後の世界を先に生きる。それによってこそ、革命を生ぜしめるのである。『反逆者』はかなり読まれた。次第に集産主義陣営の人々も、蜂起派も、ラディカルな武装闘争をしている人々も、クロポトキンの文章を夢中になって読んだ。体制側からすれば、もう、要注意人物である。当時、スイスからフランスのトノンという町に居を構えはじめた彼であったが、フランスでは蜂起派や武装闘争する連中が暴れていた。それに加えて、クロポトキンがフランスに住まいを移した、というのだから、さぁ、大変。逮捕しなくちゃ、と言わんばかりに、捕らえられてしまう。

しかし、彼の名声は活動家の間にだけ広まっていたわけではなかった。彼は地理学界でも学者としての名声を得ていたし、何よりも、彼は蜂起の部隊にはかかわっていないのだから、バクーニンとは異なって、危険人物扱い（?）されるのがおかしいのだ。

実は同じ時期に、ルイズ・ミシェルという有名なアナキストも逮捕されていた。彼女の名前は、大杉栄の娘の名前にもなっている（大杉ルイズ。後に大杉留意子に改名。松下竜一『ルイズ――父に貰いし名は』を是非読んでいただきたい。名著である）。ルイズは、窃盗の罪で逮捕されていた。しかしその窃盗の内実がまさにアナキストである。というのも、「ルイズ・ミシェルはいつでもそれを必要としている女があれば、文字どおり自分のもっている最後のショールや外套《がいとう》でもやってしまったし、入獄中は同囚の人よりもいい食事は絶対にしない人で、差入れがあってもみんな仲間の人たちにやってしまうのだった。

そのルイズ・ミシェルがもう一人の同志プージェとともに街頭における窃盗の罪で九年間の禁錮を宣告されたのである。中産階級の日和見主義者たちでさえも、これはひどすぎると思ったほどだった。ある日、失業者デモの先頭に立っていた彼女は、あるパン屋の店先に入っていくつかのパンをとると、飢えているデモ隊の人たちにわけてやった。これが彼女の窃盗罪というわけである」(『ある革命家の手記 下』三〇九頁)。

ルイズ・ミシェル

ルイズ・ミシェルともどもクロポトキンの逮捕も不当であるし、罪も重すぎる。大学人や、ジャーナリスト、新聞各社だけでなく、フランスの下院でも特赦を出すよう議論がなされた。監獄の中で、クロポトキンは壊血病が再発し、マラリアにかかりながらも、なんとか持ちこたえた。畜生、畜生、生きるぞ、生きてやる、反逆者の言葉を心に溜め込んだ。そしてこの間、民衆の間にもクロポトキンらへの擁護の声が高まり、釈放された。実はこの間、監獄の庭を勝手に耕して、畑を作り、レタスやら大根やらを育てたり、宇宙論や物理学、はたまた語学の勉強会を開いたりして、結構楽しんでいたようだ。

即座にパリへ向かい、エリゼ・ルクリュの兄で人類学者のエリー・ルクリュのもとでしばらく過ごして、時折講演会などで喋ったりしていたが、ロシア寄りの新聞や言論がクロポトキンを追放せよ、と言いかねない状況を察知して、クロポトキンは新天地ロンドンへ向かった。ロンドンは以前少し住んでいたこともあり、そこでのつてを頼りに、新生活をスタートさせたのだ。この時四四歳のクロポトキン、脂が乗っている頃だ。ロンドンでは怒濤の勢いで代表作をどんどん書いていく。大正時代には日本のアナキストがこぞって読んだ「クロのパン略」こと『パンの略奪』や、『田園・工場・仕事場』、そして『ある革命家の手記』『相互扶助論』『倫理学』などだ。最晩年にロシアに戻るまでのおよそ三〇年以上にも渡って住み続けたのがロンドンだ。

当時、イギリスでは、労働者の運動が高まりを見せていた。トラファルガー広場でデモを行い、貧困層の主張が次第にイギリス中で共有されるようになっていた。これに反応したブルジョワも数多くいて、労働者とは明確に異なる階級ではあれども、「「慈善」という観念から抜けきったものでもなかったが」（『ある革命家の手記　下』三二一頁）、それでもなお労働者を支持し、社会を改良していこうという機運がかなりあった。こうしたイギリスの空気に影響を受けたのか、クロポトキンもちょっと温和になる。残念といえば、残念であるが、じっくりとアナキズムの理論化を成し遂げるには都合が良かったのかもしれない。

アナキズムの哲学を大成させていくにあたって、彼は持ち前の学者センスを存分に発揮していく。当時の流行思想といえば、右を向いても左を向いても、ダーウィニズムの「進化論」であった。その進化論はどうも、都合の良いように扱われすぎているきらいがあった。なんでもかんでも進化の帰結が現在の状況なんだ、とか今が一番良い状態なんだ、とかである。スペンサーなんかは毀誉褒貶のある思想家であるが、俗流進化論者として世界中の知識人に影響を与えていた。クロポトキンは、そうした風潮に対して待ったをかけるとともに、アナキズムの思想を練り上げていったのだ。つまりは、アナキズムで世界的潮流の思想に殴り込みをかけたのである。しかもその進化論に則りながらだ。その代表作が『相互扶助論』だ。

『相互扶助論』での進化の扱いは、極めて学術的だ。ダーウィンそのものの進化や相互扶助の概念であったり、当時の動物学者のそれら概念を取り上げて論じている。

まず序文で、相互扶助という概念に出会った衝撃を記している。ロシアの動物学者でサンクト・ペテルブルグ大学の学長でもあったケスレルの講演を読んだことに端を発する。ケスレルは「相互扶助の法則」という講演の中で、「自然には相互抗争の法則とならんで相互扶助の法則があり、相互扶助の法則は生存闘争の勝利にとって、とりわけ種の前進的進化にとって、相互抗争の法則よりもはるかに重要」(『クロポトキンI　アナキズム叢書』二五八頁)だと述べていたという。加えて、実際にダーウィンを読解している箇所もある。

ダーウィン自身は、その特定の目的のために、おもに狭い意味でこの用語(「生存競争」)を用いていたが、その狭い意味を過大評価する誤りを犯さぬよう(彼自身、かつてその誤りを犯したようだが)、同僚に警告していた。『人間の由来』で、彼はその正しい、広い意味を力をこめて記している。無数の動物社会において、生存手段をめぐる個々の個体間の闘争がどのようにして消滅するか、闘争がどのようにして協同に代わるか、そしてこの交替の結果、最上の生き残りの条件を種に確保する知的、道徳的能力を、どのように発達させるか、を彼は指摘した。彼が示唆したところでは、こういう場合、最適者は肉体的にもっとも強健なものでも、もっとも狡猾なものでもなく、互いに支え合うよう相互に結びつく術を知っているものである。「もっとも繁栄し、もっとも多くの子孫を作る群れは、もっとも共感し合うメンバーを最大に擁したものである」と彼は書いている。この用語は、各人と万人間の競争という偏狭なマルサス主義の概念に由来するのだが、このようにしてそれは、自然を知る者の心ではその狭さを失ったのである。
（『クロポトキンI　アナキズム叢書』二六六頁）

そう、実はダーウィンこそ相互扶助の立役者だったのだ。適者生存は弱肉強食の結果なのではない。むしろ、相互扶助をし合った生物こそ、生き残り、子孫を繁栄させてきたのである。だから進化してきた。やたらめったら喧嘩で勝つ奴が生き残るのではない。むしろ喧嘩で負けようとも、死なずにすんだ、ないし生きながらえた生物が進化を遂げてきたのだ。マルサスの述べるように競争によってこそ生き延びるのだ、というのは間違いだ。もっと言えばホッブズの「万人の万人に対する闘争」と呼ばれる「自然状態」も間違えだ。そんなのは現実には存在してこなかった。そうではなく、弱くとも生きてきたもの、「強く儚い者たち」（byＣｏｃｃｏ）。この末裔が私たちなのだ。そして結論を先んじて言おう。常に相互扶助の精神で生きてきたアナルコ・コミュニストたちこそ私たちの祖先であるし、私たちはアナルコ・コミュニストであるべきなのだ。それこそまさに「自然状態」なのではないだろうか。

この観点から、様々な動物の群れの生活をクロポトキンは詳述していく。むろん、時に戦いもある。しかし、それも相互扶助のある集団が勝つことがほとんどだ。次いで未開民族の集団生活を記述していく。王権国家や現在のように強大な国家体制以前のより小さな集団の生き様をこれまた詳述していく。人類学者だったエリー・ルクリュにもおそらく教わった事例がふんだんに扱われている（と思う）。そしてこれは、私たちの同時代人であるアナキスト人類学者のデヴィッド・グレーバーが刷新して言っている議論でもあるだろう。ここから中世のギルド社会における相互扶助の制度や、現代の私たちの生活のうちにある相互扶助をふんだんな事例でもって語っていく。

これは近年であれば、レベッカ・ソルニットの『災害ユートピア』も相互扶助の賜物である。ニューヨーク大停電の際に多くの人々は犯罪に走るよりもむしろ、お互いに助け合ってその場をしのいだ。九・一一の時だってそうだし、私たちならば、地震の際によく経験していることだ。避難所で暴れる奴なんてそうそういない、むしろ皆助け合っているじゃないか。というか、助け合わないと生きていけない。それが当たり前の世界なのだ。それに対して資本主義体制はどうだろうか。自身の稼ぎさえよければ良い。人を助けることなんて滅多にしない。皆でものを共有するどころか、一人一台スマホにパソコン。ちょっと前なら電話など一家に一台、テレビなんて、町内に一台あったかなかったかだったのに。助け合いよりも消費を促す社会に成り下がってしまった。都市部は特にそうだろう。孤立して、孤独死。消費、ブランド、ステータス。「人間やめときな」(byゆらゆら帝国)。

私たちは相互扶助でしか生きることはできない。これまでもこれからもそうだ。そうした倫理を構築したい。クロポトキンはそう考えるようになっていた。

## †最晩年のクロポトキン

何事も助け合いの精神が一番。自宅を開放して、様々な人たちが毎週のように彼の家に来て、話し合いをしたり、ご飯を食べたり、飲んだりしていた。ただ彼は、アナキスト最前線には長い間立っていなかった。この間、アナキストたちは反戦運動にのめり込んでいた。というのも時は一九一四年、第一次世界大戦に突入していたからだ。国家がやる戦争なんて糞食らえ、ふざけんな、「殺すな」（byジョン・ゾーン）。

しかしクロポトキンは違った。私からするとちょっとブレたんじゃないかとも思うが、彼なりにヨーロッパを見渡した結果、反戦よりもむしろ、バカなドイツ・オーストリアをやっつけろ、と言うようになっていた。で、支持するのはイギリス・フランスの連合軍であった。老害だ、と言わんばかりに、クロポトキンの信頼はガタ落ちした。なんで突然国家レベルでの戦争に首を突っ込んで、なおかつそれを肯定するのか、と。

だんだん、体調も悪くなってきたし、なんだか俺間違ったこと言ったかな、と凹むような日々が続く。しかしそんな中、ロシアで革命がようやく一九一七年頃には完遂したというニュースが舞い込んだ。ボリシェヴィキによる革命だけれども、専制主義を打倒し、一見、どうも、良さそうな革命に見えるじゃないか。亡命してこの方数十年。祖国ロシアに戻れるチャンスではないか。

クロポトキンは祖国ロシアに帰国した。ボリシェヴィキの軍楽隊がマルセイエーズを演奏し、凱旋帰国さながらであった。しかしロシアのアナキストは誰もクロポトキンを出迎えたりしなかった。悲しい。

とはいえ、やはりアナキスト・クロポトキンである。どうもボリシェヴィキのやってることはきな臭い。確かにボリシェヴィキの革命政権の政策によって、農民は土地を奪い返し、労働者の多くが工場を奪取した。しかしレーニンは独断で、ボリシェヴィキに反抗しそうな連中を片っ端から逮捕し、秘密裏に処刑していった。処刑されてしまった人たちの中にはボリシェヴィキとともに革命を戦ったアナキストもいた。同志を殺す、冷たいレーニン。それは違うだろうよ、と言わんばかりに、レーニンに直談判しに行く。レーニンは、とぼけて、私がそんなことするわけないじゃないですか、聖クロポトキンさん、と濁す。うーん。しかし引き続き、残り少ないアナキストたちと連絡を取り合うようになり、情報をかき集める。

一九二〇年には、外国へ向けて、ボリシェヴィキの革命は、おかしいものだ、間違ったものだ、という声明を出す。しかし、ロシアの国内のアナキストはほとんど逮捕されているか、処刑されているし、クロポトキンを信用していないとかで影響力は全くない。外国でも地に落ちた信用は回復せずで、誰もクロポトキンに見向きもしない。悲しい有様だ。

それでもなお、最晩年は『倫理学』という書物を書くことに専心した。そういえば、バクーニンも集団の倫理を最後の最後まで構想していた。クロポトキンも、もしかしたらそうしたバクーニンの衣鉢を彼なりに受け継いでいたのかもしれない。クロポトキンはこの倫理学の本を二巻本で完成させたかったようだ。私たちは一巻のみ読むことができる。一巻は倫理の起源と発達についてであり、二巻は道徳の目標について論じる予定だったようだ。この構想は完成には至らなかったものの、彼の理論家としての資質が存分に盛られている書物だ。しかし内容は『相互扶助論』とかぶるところもある。古代から現代に至るまでの相互扶助の過程を、哲学の学説史と時折交差させながら論じている。

このようにして自然は人間最初の倫理教師として容認されねばならない。人間並びにすべての社会的動物に内在する社会的本能――これがすべての倫理観念の起源であり、また倫理的発展の起源である。(クロポトキン『クロポトキン全集第十二』春陽堂、一九二八年、五九頁。なお、旧仮名遣いや訳語は筆者によって修正が加えられている)

『相互扶助論』にも似たタッチではあるが、よりいっそう凄みが増している。クロポトキンによれば、自然において相互扶助は常態であり、それが私たちを含む自然の倫理である。人間だけでなく動物も、植物もだ。それはもはや本能であり、私たちの欲求ですらある。私たちは生きたい。その時に相互扶助は、なくてはならない。私たちに倫理というものがあるならば、そこには相互扶助が常にある。それがアルファであり、オメガである。先にも述べたように、ホッブズを大々的に批判している。ホッブズの自然状態なんて全くもって仮構のものでしょう、と。またプルードンをも批判する。プルードンからすれば、倫理や道徳は法律によってこそ規定されるものであるが、クロポトキンはそうではない。倫理とは欲求であり、私たちの、自然の生そのものなのだ。

最晩年のクロポトキンは小さな農園をしつらえて、日々衰えゆく体力と戦いながら、この書物を書いていた。時折、彼を頼ってアナキストがやってきた。本書で後に論じることになるネストル・マフノなんかも彼に会いに行った。

クロポトキンは、直接行動の人、というよりもむしろ、純然たる理論家であった。むろん、アナキストの会合には出席していたし、講演だってうった。とはいえ、バクーニンがなしえなかったアナキズムの理論的側面の強化を行い、現在の私たちが知るアナキズム、それもアナルコ・コミュニズムを大成させていった一大思想家であることはまぎれもない事実である。

私たちは自然に学ぶ。そこに倫理がある。キリスト教を持ち出さなくとも、自然法的な発想は東洋にもあった（老荘思想など）。私たちは自然とともにある。人類は自然の一部だ。

そこには、科学的な知だけでなく、民衆の知をもってしても、汲めども尽きせぬ豊かな発想の源泉がそこにある。そのうちの一つが相互扶助だ。自然にたゆたうこと、欲求に付き従うこと、それが私たちの生きる道である。聖クロポトキンは自然と常に一体となっていた、まさに覚者《かくしゃ》だったのかもしれない。

第四章

# 地球——歩く人ルクリュ

ジャン＝ジャック・エリゼ・ルクリュ(1830-1905)

エリゼ・ルクリュはよく歩く。私自身も登山が趣味なので、なんだか、よくわかる。歩くことは全身運動で、足腰だけでなく、肩こりにも良い。もちろん、それだけじゃない。ある時は無心になれるし、ある時は思いに耽ることができる。思考することとは、常に体とその移動が伴うことで、それが活発になるような気がしている。まぁ、思い込みかもしれないけど、いずれにせよ、歩くのが私は好きだし、ルクリュもそうだった。しかも歩く距離がハンパない。もちろん、現在のように、車も交通機関もないからなのだが、それにしてもよく歩く。

プルードンの章でも取り上げた二月革命が一八四八年に生じた。これに興奮したルクリュは兄のエリーと学校の友達と、興奮しまくって、とにかく学校を抜け出し、ぶっ通しで話をしながら歩き続けた。学校のあったフランス南部のモントーバン（トゥールーズのちょっと北）からセヴェンヌ山脈（モントーバンから東でモンペリエの北側）を越えて、地中海（セヴェンヌ山脈からさらに南）へと歩いた。その距離、およそ二三〇キロ。時間にすれば多分五〇時間くらい。またある時、ベルリン大学の学生だったルクリュは、親に会いに行くため、ストラスブール大学の学生だった兄とストラスブール（フランスの東側）で合流した後、そこから実家のあるオルテズ（フランスの西側）まで、二人で歩いた。その距離およそ七八八キロ。二一日間にわたり、歩いたようだ（ちなみにリジオという愛犬も連れて一緒に歩いたらしい）。

またある時は、イギリスを経て、アメリカ大陸で数年にわたり農作業と地理学の調査をしていた時期がある。ルクリュがアメリカ大陸で何をしていたのかの詳細はわからないことも多いが、いずれにせよ、農作業と地理学の調査だけでなく、コミューンのようなものを作るべく、奔走していたように考えられる文章も数多くある。その際、北米各地に赴き、時にはコロンビアのシエラ・ネバダ山脈など中南米にも足を運び、農作業やら、日銭を稼ぐためにフランス語教師やらをしていた。基本的に、移動はもちろん、歩き。この時期に先住民の生活や、アメリカ大陸の自然の地形に圧倒され、彼の知恵が増えていったのは言うまでもない。

他にも、奴隷解放の文章を書いたりして、実は時の大統領リンカーンが、ルクリュの文章に感激して、彼に報酬を与えようとした、なんて記録もある。もちろんルクリュは、報酬なんか完全に拒否。大統領に褒められたって嬉しくもなんともない。さすがアナキスト。

ルクリュは地を這う精神の持ち主だった。日本のアナキストである石川三四郎はこんな風に述べている。

彼の多くの科学的著作は普通の学者のように書斎に閉じこもって営むのではなかった。自然そのものを把み取って、それを紙面に活かすのであった。それ故に彼は、この十余年間というもの毎年どこかに大旅行をした。それも決して汽車や自動車で宿屋から宿屋へ転々とする旅行ではない。大ていは強力を伴い自らもハーブル・サックを背負っての強行軍を好んだ。(エリゼ・ルクリュ『アナキスト地人論　エリゼ・ルクリュの思想と生涯』書肆心水、二〇一三年、一九九頁)

そう、とにかく、どこに行くのも歩く。ひたすら歩く。地を這うアナキスト、エリゼ・ルクリュ。

## †ネイチャー・ボーン・アナキスト

ルクリュは青年の時期から、アナーキーな心の持ち主だった。というか、若い時はみんなアナーキーだ。というか、若くなくてもアナーキーな心は持っているはずだ。というか、そもそも人類は皆、アナキストだ。それはともかく、そんなアナーキーなルクリュの父もアナーキー。バクーニンのように無神論者ではなかったものの、それでもなお、自分がやりたいことをやりたいように突き進んだ。

どう突き進んだのかというと、まず、ルクリュの父は、フランスでは珍しいプロテスタントの牧師だった。フランスはカトリックの国、というイメージが強いが、もちろんプロテスタントだっている。とりわけ、宗教改革の推進者カルヴァンはフランス出身だった。ジュネーヴでの神権政治は、国家よりも、プロテスタントの教会が政治を担っていた。日常生活も政治も、宗教が担うべし、ということで、国家権力と常に対峙していた事実がある。

そんなプロテスタントの伝統からか、ルクリュの父も、頑固者。ルクリュの母の家系は、ルイ一八世の大臣一族であり、実はルクリュの父が望めば、高級官僚にだってなれた。しかし、そんなことには一切興味なく、ひたすら神の道を求道する、熱心なキリスト者であった。地域の教会教区の議長にも選ばれたりしたのだが、それを固辞して、ピレネー山脈近郊のオルテズという小さな町の平凡な（？）牧師の職を勤め上げた。こんな文章がある。

毎日の行動から見れば、ルクリュ達の父は実際上の共産主義者であった。一八三一年に国家公認の牧師たる職を辞拒したことから見れば、彼は芽生えの無政府主義者であった。彼はその全人格によって、その意見がどうあろうと、心の正しい人々に信仰を吹き込んだ。そしてその子供達は、各自の線に沿うて、その平和な気分を弘通する天分を与えられた。（『アナキスト地人論』一六五頁）

これは、兄のエリー・ルクリュの息子であるポール・ルクリュ、つまりエリゼ・ルクリュの甥っ子が書いた文章だ。親族から聞き及んだ限りでも、素晴らしい人格の持ち主だったようだ。要は、こんな人格者の父親と大臣の血筋を引く気品溢れる母親に育てられ、結構、自由奔放に育ったのがルクリュなのだ。実際は、兄弟姉妹が一〇人以上おり、ワチャワチャした元気な家族だったらしいが、皆それぞれ立派に育っているのが、すごい（大学教員が立派かどうかは別にして、大学教員を何人も輩出したり、研究者と結婚したりしている）。

そんなルクリュが、権威やらを嫌悪するようになった決定的な出来事がある。父親のはからいで、彼が一二歳の時に、兄エリーとともに、ドイツのノイヴィートというライン河沿いの町で、ちょっとした共同生活を送っていた。しかもその共同生活は「モラヴィア同胞教会」という移民たちで主に運営される小さな教会集団でのことであった。ここで自給自足を行い、貧しいながらも清く美しくキリストの教えに忠実に、息子たちが暮らしていけるのではないか、ということをルクリュの父親が聞き及んでのことであったようだ。子どもの教育にもちょうどいい、そんな考えのもと、彼らを送った。

しかし、である。実際行ってみたルクリュ兄弟は、そんな理想郷などどこにもないじゃないか、と愕然とする。もちろん、ドイツだけでなく、東欧や西欧のキリスト者が集い、清貧で素晴らしいキリスト者が沢山いた。その一方で、嫌な奴も沢山いた。教会の趣旨とは大きく異なった「民族間の排他自慢、富と権勢への阿諛《あゆ》、殊に一部の同胞達の仏人に対する憎悪、等の事実は、ルクリュ兄弟の深刻に不快を感じたところであった」(『アナキスト地人論』一六五頁)。

フランス人だからといって、なんだかバカにされる。同じ人間なのに。お金ないからといってバカにされる。バカみたい。こんな奴らはスルーだ、ボケ。二年間、辛い思いはしたものの、もう、せっかくだから勉強するしかない、と割り切り、ドイツ語や神学の勉強を熱心にやった。もちろん、この時に、いかに排外主義や権威主義がアホくさく、バカらしいかを学んだ。二年学んで、再び故郷フランスのプロテスタントの学校に入り、次いで故郷近くの街であるモントーバンの神学校、さらに加えてその後に、エリゼは一旦学校の先生になってからベルリン大学へ学生として、兄のエリーはストラスブール大学へそのまま学生として向かうことになる。

ベルリンで暮らしていた頃のルクリュは、神学ではなく、地理、哲学、そして当時の政治や社会の状況や思想に興味関心が移っていった。そんな中、ベルリンでも日銭を稼がにゃいかん、ということで、フランス語の家庭教師をしますよ、という広告を学校に貼った。即座に、ある伯爵家の家庭教師をすることになった。しかし、交渉の際、「共和主義者ではないこと」というわけのわからない条件が付加された。ああ、バカらしい。権威主義がこんなところにも。専制体制の何が良いのか。ふざけんな。何の躊躇もなく、お断り申し上げた。

金はないけど、勉強は楽しい。親からの仕送りもほぼないので、とうとう生活費捻出のために、靴まで売り飛ばしてしまった。でも、勉強できるなら、貧乏げな苦やなかろうもん、といった具合で、結構明るく学生生活を送っていたようだ。というのも、人生を捧げたい学問に出会ったからだ。地理学だ。

ベルリン大学は、近代地理学を作り上げていった本拠地だ。フンボルトや、その好敵手でもあったリッターが互いに地理学を練り上げていった時期であった。特にルクリュは、リッターの考えに魅せられた。人間と地球、自然と歴史が縦横に結びついていくさまに「LOVEずっきゅん」(by相対性理論)。世界を歩きまくって、風景や自然を眺め観察し、それを記述し、この世界の有様が立体的に見えてくる学問、それが地理学なのではないか、もう自分にぴったり。今まで歩きまくっていたのはこの学問に出会うためだったんじゃないか、そんな思いを強くした。

お金がなくなって、大学の学費も払えなくなり、大学を除籍になっても、授業には通い続けた。うわー、超楽しい、地理学。しかし、もうお金もないし、親は親で牧師にならんのなら、帰って来い、とうるさい。どうしようか。じゃあ、一旦帰る、ということで、ストラスブールまで行って、兄と一緒に歩いてフランスを横断した。

### †ホモ・モビリタス

故郷に帰ってやれ安心かと思いきや、一八四八年二月以降のフランスは革命が成功したとはいえ、きな臭かった。結局、プルードンだって捕らえられてしまったり、革命を起こしたルイ・ブランも亡命せざるをえない状況に陥った。というのも、頑張って革命起こしたのにもかかわらず、選挙とやらで金持ちが勝っていき、結果ナポレオンが皇帝になってしまったからだ。この間、こうした状況に反抗すべく、ルクリュ兄弟はオルテズで仲間を集めて役場を占拠しようとした。しかしそれは、あっけなく失敗。監獄行きが決まってしまう。とはいえ、田舎の町ですら、こうした試みがなされるような事態が続出していた。つまり、革命へのシンパシーや、あるいは共和主義への憧憬はフランス中で響き渡っていた。何せ、世界で初めて専制政治を打倒した人々であり、パリを中心に世界が作られているのではない、と多くの人々がそう思っていた節がある。まぁ、いずれにせよ、ルクリュ兄弟は国外に逃げないとやばい、という状況になった。

面白いのは、このオルテズの役場の町長が、ルクリュ兄弟に、逃げてください、とそっと教えてくれたことだ。ルクリュ一家を常々尊敬していたのだ。しかも、占拠されそうになっていたのにもかかわらず、こうしたオキュパイ運動にも実は理解はあった人だった。とはいえ、町長がいくら頑張っても、中央には逆らえない。彼らの逮捕取り消しなどは難しい。ナポレオン怖い。よし、ということで、さっさと亡命。

ここからルクリュは、何かが変わる。何かをつかみはじめるのだ。それは何だろうか。アナキズムなのではないだろうか。私はそう思う。とにかく、ルクリュの大移動がはじまる。移動する人・ルクリュ。ホモ・モビリタス。

まずロンドンに行く。稼がにゃいかん、ということで、ベルリンでもやっていたフランス語の家庭教師をする。それに加えて、兄がアイルランドで農業をはじめていたので、その手伝いをしてなんとか暮らした。農業関連の仕事も、案外面白いものだったようだ。というのも、今まで地理学で測量法を勉強してきたことが役に立ち、学問的な知性を存分に発揮できたからだ。大好きな地理学の勉強が使えてしまう、そんな仕事にこれまたぞっこん。仕事内容は、アイルランドの伯爵のでかい土地の経営企画。その際、地理学の測量法や区画整理の知恵を駆使した。

とはいえ、好き勝手はできない。クライアントの要請を十分に考慮し、イノベイティブで、クリエイティブな、プロジェクト案件のあーだ、こーだ。あ〜、面倒臭い。自分で土地を自由にいろいろ歩き回って農地やらの区画整理をしたいなぁ、と次第にストレスがたまる。人の土地なので、自由にできるわけではない。なんだか、ジタバタしたくなってきた。辞めよう、こんな仕事。新天地を求めるしかない。エイッ。アメリカに飛び立った。

理由として「第一に広い処女地を見つけて、そこに自由共産的の社会生活を樹立したいという希望を懐いたこと、第二に人類の生活する諸方の世界を広く研究したいと考えたこと」（『アナキスト地人論』一七八頁）が大きく上げられる。

新天地はアメリカ大陸だ。まずニューヨークで波止場人足したり、工場で働いたりした。次いでニューオルレアンでフランス語の家庭教師もした。この間、黒人を奴隷として扱うアメリカ社会のあり方に怒りを覚え、奴隷制反対の狼煙を上げるようにもなっていく。一八五五年くらいからは、中南米にも赴き、コロンビアで大規模な農地を手に入れる画策をぶち上げてコミューンを作ろうともしている。しかし、さすが（？）コロンビア。手紙のやり取りがうまくいかず（なんせフランスからの手紙が届かなかったり、あるいは自分が送った手紙が届いているのかどうかもよくわからない状況だったようだ）、頓挫（ちなみにどうでもいい話だが、現在のフランスやイタリアの郵便局もよく手紙やら小包が届かなかったりする。日本くらいなんじゃないかな、こんなに郵便が円滑に動いてるのは）。

フランスに戻るのは一八五八年。足掛け六年間アメリカ大陸を歩いて移動していた。一八五八年頃になると、プルードンの章でも述べた通り、ナポレオンの失政が続き、そのガス抜きに、恩赦が発せられ、無罪で戻れることになった。この間のアメリカでの手紙を幾つか。

私は趣味として貧しい生活を好みます。（中略）兄さんがフランスにおいていわゆる官職というものを持たないことが、どんなに嬉しいかしれません。公職には多かれ少なかれ、必ず専横な権力というものが付いています。（『アナキスト地人論』一八七頁）

殊に僕は奴隷制度と教会と移民者道義というものを嫌悪する。（『アナキスト地人論』一九〇頁）

前者は、兄が先にフランスに帰国して、彼が仕事をする際に、官職を断ったことにルクリュの母があーだこーだ言っている手紙に対しての返答だ。ルクリュからすれば、父親も権力におもねることは決してない人だったわけだし、自分も、そして兄もそうなんだから、まぁ、当然じゃないかよ、と母を諌めている。もうすでに、アナキストだ。

後者の手紙は、アメリカで家庭教師や農作業をする中で、常に黒人奴隷とともに過ごしていた時期のもの。彼らへの不当な扱いに対して、猛烈にブチ切れている手紙だ。これは兄に送ったものだ。それと、教会と移民者道義については、こうだ。教会は所詮白人のために機能しているにすぎない。それも管理という仕方で黒人奴隷の所有を奨励する。もう馬鹿げている。移民者道義は、開拓者として、特に白人は新たな地を開拓していくべきだという使命がある。その際、やはり黒人も移民者道義を有するのだが、黒人の扱いはあくまで奴隷。全然「道義」じゃないじゃないか。なんだこの言葉は、ということでブチ切れている。一緒に働いている仲間じゃないか。肌の色だけで彼らの生殺与奪の権利を白人が持つなんて絶対に絶対に絶対に許せない。怒りがものすごい。

こんな手紙をよこしていたかと思えば、コミューン作りに精を出し、コロンビアの山に行こうとする手紙を母親に出している。

私は明後日、シエラ・ネバダに向かって出発せねばなりません。山の百姓になりに行くのです。（中略）シエラ・ネバダは比較にならぬ豊饒の地で、熱帯地から両極地に至る、あらゆる地帯の植物を豊富に生産します。なぜなら諸山の中腹を廻らして、あらゆる気候が重なってあり、それに従って種々な草木が繁殖するのです。（中略）とにかく、この美しい山国の将来は、スイスのそれと同様に美しかろう。私はその開拓者の一人と

なりたいのです。(『アナキスト地人論』一九二〜一九三頁)

豊かな山の自然に魅了され、彼はさらなる新天地を求め、コロンビアへと向かおうとしていた。実際に、シエラ・ネバダでは、百姓をして、彼は自給自足の生活を実現させていった。仲間も増えていく。白人だろうが、黒人だろうが、原住民だろうが、みんな協力し合って生きている。自然がとにかく豊かだ。「東西に海と接し、あらゆる気候風土が並存し、あらゆる産物が生じ、五つの山脈が集合して、驚くべき風景を作り出している」のだという(『アナキスト地人論』一九七頁)。この地では、権威も国家もほとんど力を持っていない。これはもしかして桃源郷だろうか。近代国家なんて出来る前は、ほとんどみんなこうして生きてきたじゃないか。夢のようだ。楽しい、楽しすぎる、アナキズム。

しかし長くは続かなかった。仲間と作った協同組合がうまくいかず、それを解消。当初は兄のエリーにも、早く理想郷を一緒に建設しよう、だから早く来い、と誘う内容の手紙を送りまくっていた。しかし次第に、まぁ、いつか、おいで、という調子になり、アメリカ生活後半の手紙では、いつか一緒に理想郷を作ろう、と即答を求めないような文章になっている。そうこうしているうちに、ナポレオンによる特赦が発表され、ぼちぼち、フランスに帰るか、と相成る。ルクリュは新天地アメリカから、故郷のフランスに戻っていった。それにしても、歩く。港に戻るときにも、ひたすら歩き。行動力はものすごい。思い立ったら、すぐ移動。移動する人・ルクリュ、ホモ・モビリタス。

## †書いて、書いて、書きまくる

ルクリュはフランスに戻り、今まで蓄えてきた知識を大量に放出するようになる。書いて、書いて、書きまくる時期になる。仕事もパリで有名なアシェット書店で得た。本屋さんといっても、旅行案内書の編纂だったりして、ほとんど執筆の仕事だ。旅行のことなら任せておけ、と言わんばかりに、ガンガン文章を書く。それにも飽き足らず、学術論文まで書いていく。とにかくすごい。『哲学評論』に「ヨーロッパの土地の歴史」という論文を発表したのを皮切りに、『両世界評論』に政治・地理の分野で論文を発表していく。特に「ヨーロッパの土地の歴史」で、彼はちょっとした注目を浴びるようになる。

その後矢継ぎ早に書いていった政治論文に、「合衆国における奴隷制度」というものがある。これが時のアメリカ大統領リンカーンの目に止まった。リンカーンからしても、奴隷解放、これすなわち真実、と言わんばかりに、ルクリュに報奨金を与える旨を申し出てきた。ルクリュからすれば、奴隷解放を訴えることと、報奨金を受け取ることは全く関係がない。そもそも大統領なんか、正直どうでもよい。権威の最たるものの一つではないか。報奨金などは断固拒否。もう既にアナキスト・ルクリュはこの頃には完全に出来上がっている。

先にも述べた、コロンビアの体験記も刊行されている。『シエラ・ネバダの旅』という本だ。とにかく、ここは桃源郷なんじゃないか、というくらいこの本でシエラ・ネバダが美しく描かれている。自然を活字化する。その才能に関してルクリュはピカイチだ。この頃には『小川の歴史』という本も書いている。この時期ではないのだが『山の歴史』という本もある。いずれの本も、後にパリ市内の学校で配布される代物となった。極めて模範的な文章として彼の筆致はフランス中でも有名になっている。

たとえば、『小川の歴史』は、泉に湧いた水が川として流れ出て、高地から低地へ、そして最後は海に至るまでの変遷が描かれている。それに加えて、この変遷が、なんと、文明の進展と重ねられて論じられている。思いつきそうで思いつかない。いや、思いつきはするが、うまく書ける気がしない。それも散文詩のような書き方。とにかく、「お話」として、「読み物」として一級品。美文家・ルクリュ。この書き方は、のちに大著を著す際でも同じだ。大著でも、飽きずに読める、ルクリュかな。

　実はこの間、結婚もしている。アメリカで黒人たちと親しくなっていたルクリュは、兄の勧めもあって、白人系アメリカ人と黒人系セネガル人とのハーフであるクラリスと結婚する。当時は、フランスとはいえ、黒人差別はあった。ハーフではあったものの、フランスの、それも地方では、黒人への目は決して暖かくないこともあった。それでも、彼は意に介さない。魂が美しいその彼女と婚約期間もなしに、すぐ結婚。俺が守ってやるぜ、クラリス、ジュテーム。そんな思いに満ち溢れていた。この時期、親にも兄弟にも、ひたすら、超幸せ、と言わんばかりの手紙を書き送りまくっている。素直、ルクリュ。

　そう、仕事もアシェット書店の人文地理の執筆者として大忙し。順風満帆。出張と称して、大好きな旅行にも行きまくる。イタリアのシチリア島のエトナ火山を調査したり、フランス中の観光地やら山やら川やら都市やらに、行きまくる。こうした出張の間にも、社会や政治に目を向けるのはルクリュ流。シチリア島に行った際、貧困を目の当たりにした。貧困はアメリカ大陸でも見てきた光景だが、彼は行政や国家の無能に憤りをおぼえる。許せない。その一方で、それでもなお、人民が、つつましく、協力し合い、生きていく様に感銘を受けている。そうした様を旅行記であったり、政治論文や地理論文に反映させて、彼は書き手として次第に名声を高めていった。そう、一八五七年に帰国してから、一八七〇年までは、とにかく、書いて、書いて、書きまくったのだ。

実は、シチリアからの帰路、当時フィレンツェに住んでいたバクーニンに会いに行っている。この頃からルクリュはバクーニンとしばしば連絡を取り合い、密接な関係になっていたようだ。バクーニンのところ（第二章）でも記したように、後に「平和と自由のための会議」の第二回ベルン大会で二人は協力し合って、ともにこの会議を脱退した。しかしその後は、何があったわけでもないが、特に連絡を取り合う間柄でもなくなってしまった。疎遠になっていたとはいえ、互いに互いを尊敬し合っていた記述があり、バクーニンが亡くなった際、ルクリュは、人があまりいなかったバクーニンの葬儀に参列している。仁義に厚いルクリュ。

## †パリ・コミューン

一八七〇年になると、ナポレオン三世率いるフランスはわけがわからない状態に突入する。やはり、国家レベルで何かを考えたりする人の気持ちが全くわからない。ナポレオン三世は自分の人気に陰りがあるのに気付き、特赦令を出したりして、人民にすり寄るようになった。ずっと弾圧の対象だった労働者の動きに対しても、一瞬だけ物腰が柔らかくなった時期がある。こんなことがあった。

ローマ皇帝気取りでいたナポレオン三世は、皇帝にふさわしいように労働者階級の状態に関心をもっていたので、エリー・ルクリュの編集する新聞が印刷されるたびごとに、侍従武官の一人を新聞の印刷所にやっては、その最初の一部をチュイルリ宮殿にとりよせていた。もっとあとになると、もし国際労働者協会がその報告の一つに皇帝の偉大な社会主義計画に信頼をよせるという意味の数語を発表しさえすれば、協会の保護者になってもいいといいだした。第一インターナショナルがそれをきっぱり断ると、ナポレオン三世は国際労働者協会の弾圧を命令したのであった。(『ある革命家の手記　下』三一〇〜三一一頁)

兄のエリーは、帰国後、労働者向けの新聞を編集していた。結構な部数を発行していたらしく、当時の労働者の社会関心の高さがうかがわれる。公安が反体制の雑誌や新聞を読めないなりに読むように、率先してエリーらの新聞を取り寄せていたのだ。それに加え、第一インターにすり寄るような動きも見せていた。包摂しようとしたのだろう。しかし、第一インターは断固拒否。それに対してナポレオン側は逆ギレして弾圧。子ども以下である。要は一瞬懐柔策をとったのだが、結局は、やはり国家。どうすれば人気が上がるか他の策をとる。戦争だ。戦争で何で人気が上がると思うのか、謎なのだが、とりあえず、普仏戦争勃発。

ナポレオン三世はあっけなく負けて、怒ったプロイセンが逆襲にやってきた。選挙でとりあえず、ティエールが首相になった際に、プロイセンとの講和を申し出た。これで一件落着かと思ったが、プロイセンからすれば、いきなり戦争仕掛けてきて、負けたら、ごめんんね、講和しましょう、なんて虫のいい話はない。ふざけるなと思う。講和は建前上結んだものの、こうなったら、仕返しはいつでもやったるぜ、と鼻息は荒い。ティエールはこうしたプロイセンの鼻息にびびって、国民軍の武装を解除した。これで許して、プロイセン。しかしいつプロイセン軍がフランスにやってくるかわからない。怖い。国民軍の武装は解除されたので、武器やらがそのまま倉庫に保存されている。誰もフランスを守ってくれない、パリを守ってくれない。国家は事実上機能していない。

こんな状態を待ってました、と言わんばかりに、古参のジャコバン派の連中や暴れん坊のブランキ主義者、そして穏健（？）だが、職人や農民で体力仕事には自信のあるプルードン主義者たちが、パリで大暴れしだす。大砲やら何やら、その辺に取り残された武器を奪って、政府を追い出してしまう。すごい。ティエール臨時政府はパリを脱出して、ヴェルサイユへと避難した。これが一八七一年三月のことだ。そう、パリ・コミューンの出来上がり。その辺は本書では嫌な奴扱いされているマルクス先生の文章を参考にしてみよう（マルクスも本当はすごいんだよ）。

コミューンは、市内各区における普通選挙によって選出され、有責であって短期に解任され得る市会議員から形成された。その議員の多数は、勢い、労働者、ないしは労働者階級の公認代表者であった。コミューンは、代議体ではなく、執行権であって同時に立法権を兼ねた、行動体であった。警察は、依然として中央政府の手先である代わりに、直ちにその政治的属性を剝奪され、そして責任をおいいつでも解任され得るコミューンの手先となった。行政府の他のあらゆる部門の官吏も、そうであった。コミューン議員以下、公務は、労働者賃金において執行されねばならなかった。国家の高位顕官たちの既得利権と交際費とは、高位顕官たちそのものとともに姿を消した。公職は、中央政府の手先どもの私有財産たることをやめた。ただに市政ばかりでなく、今日まで国家によって行使されてきた全発意権《イニシアティーヴ》が、コミューンの手中におかれた。(マルクス『フランスの内乱』岩波文庫、一九五二年、九五頁)

ちなみに、この『フランスの内乱』はコミューン崩壊後二日で書いたそうだ。スゲッ。それはともかく、世界初の社会主義政権である。そもそも、革命に彩られてきたパリだ。トップに誰が君臨してようとも、私たちの生活には関係ない。むしろ、トップが私たちから税金をむしり取って、奴らが贅沢をしているのが許せない。そんな気持ちを持っている人たちが多いのがパリだ。とりわけ、ジャコバン派がずっとそうした立場を取ってきていたわけだし、プルードン派は、本書でも述べてきたように、労働者の観点から、「下」の観点から自らを変え、革命を生ぜしめていくことを是としていたわけだ。いろいろな人たちの思惑はあるものの、一応制度的に、上に引用したような仕方で、王もトップもいないコミューンができた。

ルクリュ兄弟も、もちろん、パリ・コミューンに参加。なにそれ楽しそうじゃん。こんな記述がある。

パリ・コミューンの宣言が出ると、二人の兄弟はすすんでこれに参加し、エリー・ルクリュのほうはエドゥアール・ヴァイヤンの下で国立図書館とルーヴル博物館の管理者の地位についた。チエール〔ティエール〕の軍隊がパリを砲撃したり、その後もいくたびか大火災にあったにもかかわらず、この二つの建物におさめられている人類の知識と芸術の貴重な宝がよく保存されたのは、ルクリュの先見の明と苦心に負うところが多いのである。ギリシア芸術の熱心な愛好者で、そのふかい知識をもっていた彼は、ルーヴルのなかでももっとも貴重な彫像や花瓶はすべて包装して、これを地下室にしまい、一方、国立図書館の貴重図書もこれを安全な場所におさめて、周囲に荒れ狂っている火炎から建物を守るために最大の努力をはらったのであった。勇敢な婦人であった彼の妻も、この哲学者にふさわしい伴侶で、小さな二人の息子を連れて街頭に出ると、二度めの包囲でひどい欠乏状態に追いこまれている市民への給食組織を自分の住んでいる地域につくった。パリ・コミューンの最後の一、二週間になると、コミューンの第一の義務は、自分で食糧を見つけだしてくるあらゆる方法を断たれてしまった市民のために食事をあたえることであることがわかり、有志たちがその救済事業を組織したのであった。最後の瞬間までその任務を守っていたエリー・ルクリュが、ヴェルサイユ部隊の銃殺を免れたのは、ほんの偶然のことであった。彼はコミューンのもとでこのような重任を敢えてひきうけたという理由で国外追放の宣告を受け、家族を連れて亡命した。(『ある革命家の手記 下』三一一頁)

兄エリーは、図書館と博物館で貴重な文献や作品を保存する仕事をしていた。めったに見ることができないお宝と毎日出会える楽しい仕事。妻も子ども連れて炊き出し。炊き出しはとても重要だ。古代ギリシャのポリスで直接民主主義が可能になったのも、広場で炊き出しをして、飯を食いながらやっていたのだ、と言われている。アラブの春でもタハリール広場では青空レストランができていた。世界中のオキュパイ運動でも必ずご飯は出てくる。釜ヶ崎の三角公園に至っては、オキュパイ運動の世界的な先駆けである。公園で、広場で、人が集まるところで、炊き出し、これすなわち、革命。

本筋に戻ろう。ルクリュの方は、武装して、とにかく、戦う決意で準備していた。プロイセン軍と、なんとティエール臨時政府軍が結託して、パリを攻めてくるではないか。正直、勝てる気はしない。しばしばルクリュはコミューンで銃を持ち戦ったと勇ましく言われるが、彼は一度も銃を発砲していない。パリの高地で見張りをするように突然命令されて、行ったはいいものの、敵なんていやしない。ほとんどの連中は夕方になって、居酒屋に行ってしまった。ルクリュも居酒屋行きたいなぁ、と思っていた矢先のことだった。なんといきなり、敵からの弾が雨のように降ってきた。やべー。怖ー。敵は「共和制万歳」と叫びながらやってくる。いやいや、うちらも、どっちかというと共和制万歳だよ、と思いつつ、こちらも同じように返す。銃声の嵐は一応止んで、「共和制万歳なのは、結構、とにかく降伏しろ」と迫ってくる。ルクリュは、嫌だねと突っぱねるが、周囲の残った友人たちがボコボコにされ、殺され、逮捕されたりしていく。数的に、勝てるわけがない状況だ。あちらはこちらの数十倍の大軍だ。ルクリュもボコボコに殴られ、気づけば、ヴェルサイユ側の野戦病院にいた。

同じ頃、パリは、血まみれだった。ティエール臨時政府軍 a.k.a ヴェルサイユ軍は、パリ・コミューン側が降伏を交渉しに来ようとも、有無を言わさず、殺しまくった。有名な言葉がある。「市民の生命は鳥の羽ほどの重さもない、ウィ・ノンを問わず逮捕され銃殺される」。市民までも大虐殺。恐ろしすぎる。国家がやることはいつでも意味がわからない。そして国家がやることはいつでも残虐だ。国家がやることはいつでも信じられない。

国家がやることはいつでも……。

二カ月ほどの史上初の社会主義コミューンであったが、この蜂起活動はヨーロッパ中に伝播していった。マルセイユにも飛び火し、バクーニンが動いたリヨンもそうだ。その後の都市の蜂起の代名詞となった。今もなお、パリ・コミューンの精神は生き残っていると思うし、その意味では勝ち続けている。負けても勝ち。二カ月でも実現すれば、それは勝ちなのだ。勇気をもらえる。世界中の都市の蜂起は、パリ・コミューンでもある。パリ・コミューンは永遠なのだ。ルクリュはパリ・コミューンについてこう述べている。

> パリを眺める人たちは、インターナショナルによって宣言された友愛の理念が、いかに生き生きと現実化したのかを、驚きの念をもって確認したのだった。(中略) パリ・コミューンを現代の進化において高く位置付けるべきなのは、支配者を倒すという事実に他ならない。(Jean-Jacque Érisée Reclus, *L'homme et la terre, histoire moderne Tome 5*, Paris, Librairie Universelle, 1905, p. 247)

革命が実現した。それは私たちの進化の賜物だ。

ルクリュは野戦病院を転々とさせられ、監獄にぶち込まれた。実は、ルクリュがパリ・コミューンで暴れた要因は政治的なものだけではなかった。一八六九年に、最愛のクラリスが病気で若くして亡くなっていたのだ。フランスの政局はひたすら暗い。家も一気に暗くなった。自暴自棄だったといえば、それまでだが、今まで以上に、自分で自分の好きなことをやる、という決意が彼の中でみなぎっていった。クラリスの分も生きてやる。ルクリュはそう思った。暴れてやる。革命を起こすしかない。当時、友人にこんな手紙を送っている。

近づく革命の目標は平等を確立するにある。物質生活と知識生活との特権制を絶止することにある。権利はすべての人に属せしめ、社会の力を麻痺せしむるところの、主人と雇人との対立、ブルジョアと労働者と農民との対立を絶止するにある。この戦闘のために、こんなに長く耐えてきたからには、今度は平和と友愛とのために生活すべきである。が今度の革命がいささかおくれるとして、かくも熱望して来たこの平等が果たしてもたらされるか、どうか？　さあ、それは。しかしわれわれは子孫のために働こう。廃墟の中に、或いは流血の中に、なお一歩前進しよう。（『アナキスト地人論』二〇六頁）

結構冷徹だ。革命は何よりもまず起こさなければならない。腐った世界、これを変えるには革命によって平等をすべての人にもたらさなければいけない。そして平和と友愛に満ちた世界を作りたい。それは子どもたちのためだ。いつか生まれる孫たちのためだ。いつかやってくる子孫のためにだ。そのためならば、今は廃墟でも、血が流れる街の中にあっても、突き進みたい。そんな意志がひしひしと伝わってくる。この手紙の二年後には、先にも述べたパリ・コミューンだ。ルクリュは革命へとひたすら突き進んだ。しかしボコボコにもされた。それでもなお、突き進む。クラリスはもういない。同志も何人も殺された。死を背負う。地を這う。生きて、生きて、生きてやる。

何かの決意だったのだろうか。クラリスが亡くなった後、ルクリュはベジタリアンとなった。今だとビーガンと呼ばれるハードコアな菜食主義だ。全く肉を食べない生活。個人的にも、肉はあまり好きではないので、何となくわかる気もするが、やはり、この決意はクラリス亡き後ということから察するに、ルクリュにとっても一大決心だったのだろう。

監獄にぶち込まれても、ルクリュは正気を保っていた。決意が固い人は、正気を保てる。あるいは、ずっと狂気なのかもしれない。それはともかく、文字の読めない囚人仲間に読み書きを教えた。時に英語も教えたりしたそうだ。余った時間は、『地球』という本を書いた。入門書のような内容ではあるが、大著だ。地球の地質や形状について詳細に語られ、天体との関係や時には地球以外の惑星にも議論は広がる。特に、この二巻目の校正などに時間を費やした。

そうこうしていると、軍法会議にかけられ、ニューカレドニア島への島流しが決定。しかし、ここは、学者ルクリュ。学友たちが黙ってない。フランス地理学会が彼の釈放を求め、それが世界中のアカデミシャンへと伝播する。ダーウィンをはじめとした物凄い人たちが、フランス政府に圧迫をかけた。それと以前リンカーンを感動させたことも、ここで効いてくる。アメリカ政府が何と、ルクリュの釈放を求めたのである。フランス政府も、ちょっと、ビビる。アメリカまで出てきてしまった。さぁ、どうなる。あっさり、一〇年間の国外追放に減刑される。

何だか、圧迫をかけたら、刑が変わるなんて、おかしい話だ。国家なんていつでもわがままにただ私たちに嫌がらせをしているだけなのだ。

この間、兄はどうしていたのか。大丈夫、死んでなかった。ヴェルサイユ軍が来た時に、なんとか逃げて、スイスのチューリッヒに脱走。そんな報を聞き、安心した。エリゼ・ルクリュも兄を頼って、スイスへ亡命。スイス国境まで手錠をかけられ護送されながら。スイスといえば、もう本書ではおなじみの場所だ。バクーニンもクロポトキンも、みんなスイスにいた。そう、アナキストを涵養し、醸成してくれる土地だ。この間も書いて、書いて、書きまくった。もちろん日銭を稼がにゃいかん、というのも理由としては挙げられるが、ここから、さらに地理学者としてもアナキストとしても脂が乗ってくる。今度はペンで復讐だ。

スイスのルガノに拠点を置いて、様々な雑誌に書きまくる。この間、地理学の専門雑誌から、思想雑誌など数多く書いている。一八七五年から『新世界地理』を刊行していく。全一九巻のマグナム・オパスだ。毎年一冊のペースで、地域別に様々な地理学的情報が詰め込まれている。『新世界地理』は、その情報量において、人文科

『新世界地理』原本

学・社会科学・自然科学にわたり、各地域の人間の生き様・社会風俗・地形地質・動植物の分布がふんだんに描かれている。完成したのは一八九二年。実に粘り強い。一巻あたり、千冊近く引用ないし参照がされている。ものすごい情報量、研究姿勢だ。ひれ伏すしかない。

実はこの間、レルミネスという女性と恋に落ち、再婚した。彼女は病弱でありながらも、常に明るい家庭をルクリュと築く天才だった。しかしながら病はむごい。出会って二年で亡くなってしまう。ヨーロッパのあちこちに調査研究に向かうも、時に、立ち上がれないほどむせび泣いたこともあった。歩くしかない。無心になるしかない。レルミネスと過ごしたルガノから、クラランに拠点を移し、この時に、先にも述べた『山の歴史』を書いている。美文の裏には常に深い悲しみがあった。

## †アナキスト・ルクリュ

スイスといえば、アナキズム、である。そう、ルクリュも例に漏れず、ジュラ連合に出入りするようになる。パリ・コミューンを一緒に戦った仲間たちの多くが、ジュラ地域に行き、生計を立てながら、組合運動をしていた。それを頼って、ルクリュもジュラに向かう。なんと、クロポトキンもいるではないか。びっくり仰天。クロポトキンとはすぐに打ち解けて、『反逆者』などの新聞に投稿したり、会合で議論に参加した。濃厚な関係を続けつつも、ちょうどその頃クロポトキンがフランスのトノンに住居を移した。クロポトキンのところ（第三章）でも述べたが、トノンに引っ越すや否やクロポトキンは、なぜか逮捕され監獄にぶち込まれてしまう。冤罪だ。当時アナキストたちがフランスで大暴れしており、その共謀罪でクロポトキンが逮捕されてしまったのだ。事実無根、清廉潔白。ふざけるな、馬鹿野郎、警察権力め。

そうしたクロポトキンを支援する意味も込めつつ、クロポトキンがこれまで『反逆者』に書いてきた文章をまとめて本を作ろうとしていたので、ルクリュがその役割をかって出た。『反逆者の言葉』として出版されたクロポトキンの書物の編纂と、序文はルクリュが書いた。こんな調子だ。

各人はそれぞれに自分自身の主人なのだ。官庁の椅子の方にふり向いてはならない。自由の言葉に空しい期待をかけて、あの騒然たる議場の方をふり向いてはならない。むしろ、下からひびいてくる声を聞け。この声は牢獄の格子をつらぬいてひびかずにはいな

いのだ。(『クロポトキンI　アナキズム叢書』九〜一〇頁)

友情に満ちているとともに、それでいてアジテーションがうまい。私は私の主人であり、あなたはあなたの主人である。誰からも支配されない。国家とか業績とかに尻尾を振るべきではないし、議会に対してもそうだ。ちょうど、この本が出る頃はフランスで選挙があった頃だ。それに合わせて刊行したとも言える。いずれにせよ、民衆の、労働者の声に耳を研ぎ澄ませ、生きていくこと。私自身が民衆であること、労働者であること、そうしたクロポトキン＝ルクリュの生き様がねじ込んである。そして、監獄に入ってしまったクロポトキンにまで声を響かせろ、そう煽っている。文筆家としてクロポトキンを凌ぐほどの美文家ルクリュは、アナキズムの伝道者としての地位を確実にものにしていった。

またこの頃、ルクリュは明確に自らをアナキストと称するようになっている。ちょっと前後するのだが、一八七七年には「アナーキーと国家」という演説を行っている。こんな具合だ。

あらゆる近代国家は、中央集権化しようとする。何らかの中心からあらゆるものを統率しようとするこの考えは、刑務所のモデルと比較できる。〔その一方で〕あらゆるものを国家に包摂されることに反対して、社会の生き生きとした力が形作られていくようなこの自由な集団を、私たちは率先してやっていかなければならない。(Jean-Jacque Érisée Reclus, "St-Imier", *Bulletin de la Fédération jurassienne de l'Association international des travailleurs*, 4e année, no.9, [11 mars 1877], 4)

アナキスト・ルクリュの完成だ。実は、パリ・コミューンの反省もこの頃にはしている。どういうことかというと、もちろんその辺の専制体制や共和体制よりもパリ・コミューンの方が何百倍もマシな体制ではあるのだが、結局は中央集権的な制度によって、代表が政治を行うことの悪辣さを訴えるようになったようだ。

実は、武装闘争を展開する際に、なぜなのか理由も言われずに、どこそこに行け、とひたすら命令されて、結局ルクリュはボコボコにされ捕まってしまった。きちんと、皆現状分析を行い、どこでどう防衛して、どこでどう攻撃を仕掛けるか、そんな話し合いの場すらなかった。全部お上が決めてしまう。そんなのおかしい。刑務所と同じではないか。これは、革命が起きたとしても、結局、今までの専制体制や共和体制となんら変わらないではないか。私たちが私たちのやりたいように、自主自立すること、それが最も重要なのではないか。アナキズムはずっとそれをやってきたわけだし、アナキズムにこそ自主自立の精神が宿っている。だから「国家に包摂されること」には断固反対する。「自由」に生きていく。私はもうアナキスト。あなたももうアナキスト。

その一方で、『新世界地理』は毎年着実に刊行していき一八九二年には最後の一九巻が刊行された。ものすごい努力と持続力。この『新世界地理』はヨーロッパ中の学会でも大変評価され、なんとブリュッセル自由大学の地理学講座の教員として招聘された。しかし、である。ちょっと一悶着起こった。

パリで爆弾事件が起こった。若い青年が議会の反動具合に腹を立て、閣議中に爆弾を投げたのだ。で、ルクリュの甥っ子ポール・ルクリュは当時パリに住んでおり、アナキストとして活躍していた。ポールと爆弾青年は関係あるような、ないような間柄で、そもそも事件のことなどポールは知りもしない。しかしいつだって警察は馬鹿なので、悪そうな奴は大体友達、ということで、一日拘禁される。翌日出てから、何か危ない空気を察知して、国外逃亡。やはり、と言わざるをえないのは、何も罪を犯してないのに、欠席裁判で懲役二〇年の判決が出た。あー、怖い。で、ポールのおじさんがエリゼ・ルクリュだ、という理由で、ブリュッセルのブルジョワどもは喜ばないでしょう、マダム、おほほ、というわけのわからない理由で、大学側もルクリュの招聘を取り下げた。もう、謎すぎる展開。

ルクリュを招聘してくれたド・グレフという社会学の教員は、学内で反対運動をする。なんでルクリュを招聘できへんの、馬鹿なの？　大学は。馬鹿なの？　ブリュッセル市民は。怒りをぶちまけて演説を打ち、署名を集める。多くの学者がルクリュ招聘を望み、賛同者がものすごい数になった。しかし、大学もブリュッセルの行政も馬鹿である。ド・グレフらルクリュ招聘派の教員をクビにしてしまう。ブリュッセル自由大学の「自由」はどこに……。

そう、賛同者はすごいわけだ。ブリュッセル市民とて、ルクリュを招聘したい、ルクリュの講演を聞きたい、ルクリュの講義を受講したい、そんな声が大きくなってきた。なんとすごいのは、いわゆる市民運動にまで発展し、新たに大学をブリュッセル市内に作らせてしまった。ブリュッセル新大学だ。むろん、すぐに大学の校舎が建つわけではないから、様々なホールや慈善会館が講義室として場所を提供してくれた。一八九四年から一九〇〇年まで、ルクリュは地理学や宗教学の講義を受け持ち、教育者としても絶大なる人気を誇った。

ちょうどその間に、アナキストの必読書ともなっている『進化と革命、アナルシーの理念』（一八九八年）も刊行されている。ちょっと前に似たタイトルの『進化と革命』という文章を『反逆者』紙で発表しており（一八八〇年）、こちらは石川三四郎が英語版を訳して日本でも刊行されている。この『進化と革命』の集大成版がこの『進化と革命、アナルシーの理念』であり、ルクリュのアナキズム論の代表作だ。

この本は、「進化」概念を彼なりに解釈し、その上で、革命を語る哲学書である。また冒頭から洒落が効いている。進化と革命はそれぞれ évolution と révolution なのだが、公転と自転とも訳される語だ。つまりは地球の動き、惑星の動きとこれらの語が冒頭ではともに語られる。次いで、進化（公転）という語の手垢を落とす。クロポトキンの章でも述べたことだが、俗流ダーウィニズムとは異なる仕方で、進化を肯定的に扱うのだ。その際、進化の担い手は、宇宙であり、地球であり、自然であり、人間であり、動物であり、植物であるのは当然だが、この時に、人間の進化と社会体制の進化をともに扱い議論を行う。

人間の進化を成し遂げることができるのは革命家である。革命といっても、社会体制の革命ももちろん射程に入っているのではあるが、それだけではなく、より人間が人間らしく生きることで革命が進化によって成し遂げられる旨を提示している。日々、畑を耕し、太陽と月に注意を払い、天候に注意を払い、地球人として生活していくこと。地球とともに、自転し、革命を起こしていくことが重要なのだ。これに影響を受けた日本のアナキスト石川三四郎は「進化」や「進歩」、そして有名な「土民生活」という語を編み出している。ルクリュはこの書の末尾で次のようにぶち上げている。

来るべき進化と革命は、理念の後にやってくる現実であり、ある現象と同じ現象とを混ぜ合わせるものだ。健全な有機体における生を機能させ、人類と世界の生を機能させることとなのだ。(Jean-Jacque Érisée Reclus, *Écrit sociaux*, Éditions Héros-Limite, 2012)

進化とは理念である。革命とは現実である。頭の中で進化を準備して、自らの身体で革命を生じさせる。これらは解き難く離れないものだ。一つの軌跡の両輪である。どちらかが欠けてしまっては、私たちは軌跡を歩むことができない。時に革命は、悪しき革命となる場合もある。フランスでの諸々の革命の帰結は、いつでもそうだった。だから常に進化し革命を起こそうとする不断の努力が必要だ。私たちが生きる以上、進化する。革命を起こす。進化と革命は永久に繰り返すべき事柄なのだ。

そう、理念と現実が融合した地点に、私たちの未来はある。そうした革命を目指して進化していくところにこそ、私たちが私たちらしく生きることができる世界がある。ルクリュは本気だ。いつも心に革命を。そうでなければ生きることはできない。革命、嗚呼、なんて麗しき響き。ペンで攻める。この頃ルクリュは、クロポトキンと並んで、アナキズムの理論的支柱となって、様々な雑誌で論戦を張っていた。この間、再々婚をしている。エルマンスという女性だ。彼女は美しいものを愛でるのが大好きな人だった。それも草木や花々の美しさを見出す天才で植物学者でもあった。たびたびルクリュが地理的環境や植生などについて調べるときに、いつもエルマンスに尋ね、一緒に議論をしていたという。彼女とは生涯ともに過ごした。ルクリュは常に、深い悲しみと、深い愛に裏打ちされて生きている。

## †地人論

晩年になっても、彼は移動を続け、そして書き続けた。物理的にも動き、精神的にも冒険に出かけること、それが終生変わらぬルクリュの地を這う精神だ。彼は常に、地球人であった。自然人であった。フランスの国家単位でどうだとか、日本の国家単位でどうだとか、もちろん、批判的な慧眼は持ち合わせていたが、そんなことよりも、地球とともに、それを前提として生きる人間の有様を常に探求していた。「「歴史」の出来事を吾々に説明するものは、「地」の観察である」（『アナキスト地人論』一五頁）。地理的な位相から、地域の歴史が、人間の歴史が、動植物の歴史が、地球の歴史が語られる。ある種の環境哲学といっていいだろう。

本書では、地域別に議論がなされるのはもちろんのことではあるが、最終巻では、概念別に様々な議論が展開される。環境や労働、そして歴史といった具合にだ。二〇世紀から二一世紀の現在にかけて、文系や理系、あるいは、人文科学・社会科学・自然科学という分離がものすごい勢いで進んでいるが、ルクリュにとって、そんなことは関係ない。全部論じる。それも概念の枠組みから。つまり哲学のやり方そのものだ。概念を切り口に、ルクリュは縦横に全てを語る。これはルクリュだけに限ったことではないかもしれない。一九世紀の知識人は、なんでも論じることができた。教養が半端なかったのだ。彼は、人間を革命へと至らしめるためには、書物と旅、そして教育だと固く考えていた。

教育によっても人間は変革を遂げることができる。自分自身で、自分自身の知恵を身につけていくために、様々な授業が必要だ。それぞれの授業はそれぞれの仕方で専門的かもしれない。しかしながら、それぞれの授業を受講し、それをリミックスさせて、新たに自分自身の知恵にしていくことができるのは、教育現場とそれに伴う勉強にある。彼は熱意を持って講義を行った。ある年は宗教の発生の問題を取り上げ、ある時は人類の移動を取り上げた。いずれも人間の人間たる所以を明確に切り取り、考察を与えた。今そんな授業を展開できる教師は少ない気もする。

そんな授業のための資料は、もちろん、彼自身の著作にも反映されている。晩年といってもいい頃にもまた大著を書いている。『地人論』だ。一九〇五年から一九〇八年にかけて六巻にわたって刊行されたものだ。亡くなったのが第一巻が出た年なので、死後甥のポールが編纂したものでもある。最終巻の「進歩」という章は感動的ですらある。こう述べている。

　私たちを取り囲む大陸、海洋、空中を整理すること、「私たちの田園を耕すこと」、植物・動物・人間それぞれの個体性を醸成するよう、新たにその環境を配置・調整すること、地球それ自体に属する私たち人間の連帯を確固として意識すること、私たちの起源、現在、目下の目的、遠い理想を一望すること。これによってこそ進歩が構成されるのだ。

『地人論』原本初版の扉。かわいい。

(Jean-Jacque Elisée Reclus, *L'homme et la terre, histoire contemporaine Tome6*, Paris Librairie Universelle, 1905, p. 540–541.)

年老いてもなお、進歩を信じた。先にも述べたように、もちろん俗流ダーウィニズムの進歩や進化のことではない。地を這いながら、人間らしく生きながら、ゆっくり、おもむろに、私たちの人間性を、自然を獲得していく試みだ。この時、当然のように、地球と連帯を結ばなければならない。そうでなければ、過去も現在も未来も、無に等しい。石川はこの書物についてこう述べている。「これは真実の意味の社会学であり、歴史学であり、また人類生活の聖書であるとも言えるだろう」。わかる気がする。

## †進化と革命、そして地球と人間

一九〇四年に、兄のエリーが亡くなった。彼は彼で、ものすごい学者だった。クロポトキンはこう述べている。

民俗学のあらゆる文献のなかでも、原始人のほんとうの性質についてエリー・ルクリュほど徹底して同情的な理解につらぬかれている文献は、そう多くはない。彼の宗教の歴史に関する研究は（中略）この問題についていままでに出たどの研究にもまさる最高の研究であるといっていいし、ハーバート・スペンサーの同じような試みよりすぐれていることは確実である。（『ある革命家の手記　下』三一二頁）

べた褒めだ。民俗学では誰もが知るところとなったエリーもブリュッセル新大学の教員であった。後に、レヴィ＝ブリュルやマルセル・モースにも大きな影響を与えた学者でもある。はじまりの文化人類学者の一人と言っても良い。そんな兄のエリーが亡くなり、ルクリュも次第に気持ちが沈んできた。お互いがお互いの影のように、あるいはお互いがお互いの月と太陽のように、人生のほとんどを切磋琢磨し合って生きてきたルクリュ兄弟。ルクリュは数々の愛する人々の死に接してきた。愛する者の死については多くを語っていないルクリュであるが、こうしたところにルクリュの深い悲しみと愛情を垣間見ることができる気がする。一言でルクリュを語れるわけはないのだが、ルクリュは渋い。

晩年には大著の『世界新地理』の英訳やスペイン語訳、そしてロシア語訳が刊行され、ヨーロッパ中にその名を轟かすことになった。それも『地人論』が出たのと同じ一九〇五年だ。そして同じ年に、なんとロシアではロシア第一革命が生じていた。ちょうどマフノが革命運動に身を投じはじめた頃だ。

その革命の報を聞いて、病床にあったルクリュは、「革命だ！」と喜んでいたらしい。それが最後の言葉となった。なんともルクリュらしい。

しかし、その後のロシアの行く末を見ていたらルクリュはなんと述べたであろうか。彼はあくまで、アナキストであり続けた。国家に対して常に敵意をむき出しにしていた。プルードンが革命を起こすにしても、極めて平和的に、かつ労働者自身の革命を信じてやまなかったのに対して、ルクリュは革命が生じる際には暴力も厭わない立場を取っていた。

それに加え、共産主義を信じ続けた。むろん、国家レベルのそれではなくて、仕事の種類によるその自由な連合体を中心にした共産主義だ。アナルコ・コミュニズムだ。クロポトキンもそうだが、これはルクリュのオリジナルではない。ジュラ地域の人々が時計職人や印刷工などを中心に組合を作り、その仕事ごとに自治的な決定を行っていった。むろん、仕事と生活は切り離せない。その意味で、集産主義とも異なっていた。人間の生は労働とともにある。生活とともにある。地域とともにある。自然環境とともにある。地球とともにある。これらは極めて密接だ。だからと言って、人にこれを強要したりはしない。このことに気づいた人間がこの生き様を生きる。アナルコ・コミュニズムは、実は私たちが常にやっていたことである。

もう一つ、ルクリュにとって重要な思想がある。美についてだ。「「美」とは、ものの分類や順序の感覚よりも先にくるものだ」とルクリュは述べている。美しさを求めること、人間が生きる上で、まず最初にやってくるのはそれだ。美とは生にとってのアルファであり、オメガである。美とは極めて具体的なものだ。いつも心に革命を抱きしめていたルクリュは、その革命に突き進んでいった。革命を一度知った人間は、革命へと突き進む。アナルコ・コミュニズムを知った人間はそれへとひた走る。美を知る人間は、その美を追い求める。亡くなった妻たちへの悲しみ、共に過ごす家族たちとの愛情、兄エリーとの友愛、クロポトキンとの友情、アナキストたちとの友情、自然への賛歌、地球への慈しみ、これらはおしなべて美しい。ルクリュは常に美を求道していた。

ルクリュは、オルタナティヴなスタイルなのではなく、レボリューションのスタイルだ。地球の自転と公転と密接に、革命と進化と密接に。革命とは極めて具体的なものだ。アナルコ・コミュニズムの革命は実は起きている。何らかの共同体の中で、私たちは毎日助け合って生きている。あとは、それに気がついて、地球と密接に生きていくだけだ。

その時、国家なんかは要らない、権威なんかは要らない。誰もが迷惑を掛け合って、助け合う。それでも大丈夫。本当は、みんな優しい。ちょっと資本主義のせいで、意地悪な気持ちになってしまっただけなのだ。ちょっと権力のせいで、嫌な奴になってしまっただけなのだ。そうではなくて、資本主義をやめる。国家をなくす。権威をなくす。その時、敢えて誉めたたえる何かがあるとすれば、それは家族だ、友人だ、自然だ、地球だ。別段、偉そうなことをぶち上げているつもりはない。家族も友人もすぐそばにいる。自然も地球も今ここにある。この美しさとどう付き合うか、それが試されている。私たちは美を生きる。美と生きる。進化を生きる。進化と生きる。革命を生きる。革命と生きる。

第五章

# 戦争——暴れん坊マフノ

ネストル・マフノ(1889-1934)

## †必殺仕置人、マフノ

『必殺仕置人』をご存知だろうか。念仏の鉄（山崎努）や中村主水《もんど》（藤田まこと）、棺桶の錠（沖雅也）が江戸を中心にはびこる悪を懲らしめるドラマである。個人的な感想ではあるが、マフノ運動とどこか似ている。必殺シリーズ（『必殺仕事人』や『必殺仕業人』など）はだいたい、誰か元締めがおり、その元締めの指令の下、悪人を次々やっつけていくのであるが、この作品は違う。そう、元締めがいないのである。念仏の鉄らの合議制《アッセンブリー》の下、依頼を受けた上で、恨みを晴らしていく（時折依頼もなしにかれらの恨みに基づいて敵をやっつけることもある）。自律的な彼らの合議体による決定によって、仕置きがなされるのだ。もうこの時点でアナキズムである。国家にも縛られない。ましてや神による天啓によってなされるわけでもない。神もなく、主人もなく、である。

しかも、仕置きの方法が、とにかくかっこいい。念仏の鉄などは、手をぼきぼき鳴らしながら、相手の腸《はらわた》に手を突っ込み、一撃で骨を折る。ともすれば北斗の拳よりも強いかもしれない。だって、秘孔を一発で突くのだから。かれら仕置人たちは、奇襲はもちろん、時にひねった仕方で相手のうちに入り込み、撃退するのだ（たまに失敗するのも人間らしくて良い)。

マフノたちもまた、かれらの合議制の下、農民たちからの依頼があれば、ひどい仕打ちをしてくるブルジョワどもを即座にやっつけてしまう。こんなエピソードがある。当時のウクライナでは、ドイツ・オーストリア軍が駐留していた。この軍隊は、ウクライナで好き放題やらかしていた。その実害を被るのはやはりウクライナに住む人たちだ。下層の農民だ。苦しい農民が、マフノたちに窮状を訴える。

これを聞いたマフノたちは即座に行動に出る。マフノたちはドイツ・オーストリア軍の軍服を奪い、それを着る。そしてその軍服を着たままウクライナ内にあるドイツ・オーストリア統治下のブルジョワ、しかもドイツ・オーストリア軍への協力者の家に行く。マフノたち扮する軍属もどきは、このブルジョワの家で歓迎され、宴会を開いてもらう。このブルジョワも悪巧みを企んでいたのだろう。ドイツ・オーストリアの傀儡政権と結託して金儲けをしていたようだ。そこでマフノたちはたらふく飲み食いした。もちろんこの家の主人も一緒になって飲み食いして酔っぱらう。その勢いで、ブルジョワの主人はこの家ご自慢の倉庫にマフノたちを案内してくれる。なんと、その倉庫には、武器弾薬がぎっしり保管されていたのだ。いつでも戦闘態勢バッチリですぜ、と言わんばかりだったのだ。もちろん、主人はマフノたちをドイツ・オーストリア軍だと信じきっている。

そこで、マフノたちに武器の提供を約束する。ありがとうございます、お言葉に甘えて、とマフノたちが言ったであろうその時、である。マフノたちは、今まで着ていたドイツ・オーストリア軍の軍服をバッと脱ぎ去り、倉庫にある武器を手に取った。そのまま、ウクライナ下層民の敵であるこのブルジョワ一家を一網打尽にやっつけてしまう。もちろん、ここにあった武器は全て奪い去って、次の作戦遂行に向かっていった。奇襲作戦大成功である。すごすぎる。

他にもこんなエピソードがある。クソみたいなブルジョワを中心とした民族主義者の政府は、農民たちを奴隷のように扱う。農民など、ただで働いてくれればいいとしか思っていない。農作業だけでなく、劣悪な環境下での厳しい肉体労働を農民たちに強制してくる。そんな状況では、農民たちからすれば、大切な労働力が奪われてしまう事態になりかねない。第一、基本中の基本である、自分たちの生業である農作業ができなくなってしまう。オトンが炭鉱で強制労働に取られてしまっては、家族だってはなればなれだ。しかも無理やり働かされた上に、賃金など支払われるはずもない。搾取に次ぐ搾取。敵の街で、炭鉱で、山々で、海で、川で奴隷のように働かされるのは許せない。

そこで、マフノたちは武器を密かに持って行きつつ、労働者を装って、列車に乗り込んだ。敵地の市街地へ列車が到着すると同時に、列車から降りたったマフノたちは、密かに持ってきた武器を手に取り、市街地へドッと押し寄せ、戦闘を開始。敵軍めがけて突っ込んでいった。労働者たちが来るだけだと思い込み油断していたブルジョワ政府の軍隊は、戦闘どころではない。突然のマフノたちの奇襲によってたじたじになる。簡単にやられてしまった。ブルジョワ粉砕！　奇襲作戦大成功！　このように、マフノたち革命軍は常に、農民たちの、民衆の立場に立って、ウクライナの悪を裁き、ブルジョワの闇に光を照らしていった。必殺仕置人、マフノ。

## †豊かなウクライナ

ウクライナはほとんどが農民たちによって構成されていた土地柄である。それは、ウクライナの豊かな土地とも関係している。悲しいことに、現在は、福島と同じように、チェルノブイリの名で知られる土地もあるが、それでもなお、そこを含めて大変豊穣な農業地帯である。場所はロシア南西部、かつては「ヨーロッパの穀倉」とも呼ばれるほどであった。ヨーロッパの小麦の多くをここから輸出していたという時期もある。もちろん小麦だけではない。数多くの野菜や果物の生産がなされ、その生産量も豊富であった。放牧による美しい草原地帯が広がり、石炭にも恵まれていた。

これだけ豊かな土地である。だから常に、強国がウクライナを自らのものにしようと狙いに来ていた。ウクライナは隣のロシアやトルコ、ポーランドやドイツに常に脅かされていたのだ。二〇世紀の初頭は、半ば自発的に、半ば征服によって、ロシア帝国に併合された。もちろん、身を守るためには、自発的に強国に守ってもらわねばならないという理由が一方にあり、その一方で渋々そうせざるをえないという状況からであった。だから併合されても、ウクライナの人たちは常にロシア帝国の良いように扱われぬよう、独立・抵抗・反逆の精神を保ち生活をしていた。

この豊かな大地に住まう人たちは、国家などに頼らずとも、生活ができることを知っている。とりわけ、土地を造成したり、耕作したりせずとも、その辺に種を蒔き、時期が来れば、作物が収穫できる。ウクライナの人たちは食べ物があれば生きていけるという当たり前の事実を当たり前のように生きていたのである。税金なんて払わなくても生きていける。リニア新幹線などつくっていただかなくても、私たちは生きていける。オリンピックなんてなくても生きていける。政府がなくても生きていける。豊かな土地さえあれば、私たちは生きていけるのだ。だからウクライナに住まう人たちの多くは農業に従事し、国家などには常に不信感を抱いていた。

一四世紀くらいから、ともすれば現在に至るまで、ウクライナでは、ヴォルニツァ（自由な生活）と呼ばれる伝統が脈々と受け継がれていた。ボルニツァとは、近隣諸国からの侵略を常にはねのけていこうとする精神をもって、自分たちの生活と武装闘争とが密接になった運動である。二〇世紀に入ってもここウクライナは例外ではなかった。この精神が生きていた。とはいえ、時代は流れ、ヨーロッパ中に農奴制がはびこっていた。ウクライナにも農奴制が入り込んできたものの、このヴォルニツァの伝統からか、他のヨーロッパ諸国よりも、農民たちは相対的に自由な地位にあった。ロシアでは、農奴制が残酷なほどまでに強烈で、しばしばロシアから逃げ出して、ウクライナに向かう農民たちが数多くいた。

ゴーリキーの描いた『隊長ブーリバ』という作品がある。そこに出てくる、ヴァガボンドたちはまさにウクライナを舞台に放浪していたのだ（ちなみに、この『隊長ブーリバ』を原作にした三船敏郎主演の『暴れ豪右衛門』の描写が素晴らしいので是非見ていただきたい。とはいえ、あくまでゴーリキーの作品は原作であり、舞台はウクライナではない。加賀の国でムカつく侍たちに土豪のドン信夫《しのぶ》の豪右衛門扮する三船が大暴れする。これまた必殺仕置人と同様にかっこいい)。

こんな土地柄、こんな気質を有するウクライナの人たちだ。ロシアで革命が起きても、その革命後のゴタゴタでも、農民たちの意思は強かった。農民たちは、自分たちに圧政を強いるようなブルジョワなど信用しない。国家など信用しない。だから、ブルジョワたちが旗揚げした政府、それも民族主義のペトリューラ率いる政府がウクライナをこのゴタゴタの中で統治しようとも、ほとんど服従することはなかった。もちろん、ロシア革命が起こった時期である。レーニン率いるボリシェヴィキがウクライナにもやってくるが、当のロシアのゴタゴタでボリシェヴィキは精一杯で、当初はウクライナそのものにあまり影響を与えることはなかった。もちろん、ボリシェヴィキだけでなくメンシェヴィキも含め、共産党の影響力はほとんどなかったのだ。

念のため述べておくと、ボリシェヴィキとはイケイケガンガンな共産党の一派である。それに対して、メンシェヴィキとは穏和な共産党の一派である。さしあたり本書ではこれくらいの理解で構わない。いずれにせよ国家規模での革命政府を目論む党派である。

ペトリューラが勝手に政府を旗揚げしたとはいえ、もともとはロシアに併合されたウクライナであったから、その後も、ロシアで革命を起こしていったボリシェヴィキが勝手にウクライナを扱ったりしていた。そんな中で、ボリシェヴィキは一時的にウクライナなどどうでも良いとでも思ったのだろう、ドイツ・オーストリア政府との間でブレスト・リトフスク条約というものを締結する。この条約は、簡単に述べれば、ウクライナをドイツ・オーストリア政府の好きなようにしていいですよ、というものだ。

そこからウクライナでは、ドイツ・オーストリア政府の傀儡政権である、ヘトマン・スコロパツキーの政府が立ち上がった。これで、ヘトマン体制と、先のペトリューラ体制、そしてボリシェヴィキの体制、加えてデニキン率いる反革命・帝政派が、グチャグチャになって、ウクライナでの群雄割拠の戦いがはじまっていく。そんな時代にマフノ革命軍が綺羅星のごとく颯爽と現れ、ヘトマン軍やデニキン軍、ペトリューラ軍を次々に撃退していった。農民たちの希望、マフノ革命軍である。

### †ネストル・マフノ

ネストル・マフノは一八八九年ウクライナのグリャイポーレという農村で生まれた。ちなみに、日本のアナキスト大杉栄はマフノが好きすぎて、長男にネストルという名前をつけている（後に改名して父と同じ栄になる）。先にも述べたように、マフノの必殺仕置人のような行動はウクライナでも英雄のような扱いとなっていた。そうであるがゆえに、ウクライナの大河ドラマにもなってしまうほどだ。

貧しい家庭に生まれたマフノがなぜ必殺仕置人のようになったのかを本章では一瞥していこう。彼が生後一一カ月のときに父が亡くなり、その後、母は五人の子どもたちを一人で育てていった。それだけでも大変だ。もちろん、村だったので、地域で子どもを育てていったであろうことは想像に難くない。

マフノは七歳のときから羊飼いとして働き、ときに学校に通うが、一二歳のときにウクライナに数多くの植民地や農地を持つドイツ人の家に住み込みで少年農夫として働きはじめた。この時の経験が彼に大きな決心をさせた。というのも、金持ちドイツ人の家でマフノは、ほとんど奴隷のようにこき使われたからだ。畜生め、ファック・オフ・ブルジョワ。ブルジョワに対する憎しみを抱きながら生活を送っていたという。ブルジョワの横柄な態度はどこから来るのだろうか。そもそもドイツからウクライナへやってきて偉そうにできるのはなぜだろうか。おそらくこんな問いを胸に抱え、搾取の構造をつぶさにみていった思春期時代だったようだ。

もちろんこんな思いを抱えていたのは、マフノだけではない。農民たちは、常にブルジョワたちからこき使われて、一生懸命働いているのにもかかわらず、貧しい状況を抜け出すことができない有様だった。すべからく農民は貧困のどん底へとたたき落とされていた時代であった。搾取に次ぐ搾取の時代であった。しかし一方でブルジョワはマフノたち下層農民たちのおかげで、どんどん肥えていく。何かがおかしい。ふざけるな。怒りが頂点に達した。そんな怒りはヨーロッパ中で声高に叫ばれるようになっていた。

そんな時に一九〇五年のロシアで第一革命が起こった。マフノは気付いた。こんなクソみたいな状況を変えるには革命しかない。もう革命運動に身を投じるしかない。「そんな暮らしはおわる　もうおわらせる　クソやべ〜勢いで　もうおわらせる」(by田我流+stillichimiya『やべ〜勢いですげー盛り上がる』)。

## †ロシア第一革命

ヨーロッパ中で、特に東ヨーロッパでは、農民たちが怒りをあらわにして、反乱を次々と起こしていった。とりわけロシアでは、一九世紀の末にナロードニキ運動が盛んであった。ナロードニキ運動とは、農民たちの革命運動だ。ロシアでは農奴制がものすごくひどかった。農民たちは奴隷として働かされる一方で、その土地の持ち主たちは悠々自適の生活を送っていた。これはおかしい、ふざけるなということで、農民たちがしばしば暴れた。それを見かねた皇帝アレクサンドル二世は、仕方がありませんね、農奴制はやめましょう、おほほ、農奴解放いたしましょうね、と指令を出して、一応は農奴制が廃止になった。

しかしやはり国家、しかも皇帝の考えることである。形式上は農奴解放という名が広がったものの、解放後はさらにひどくなる。つまり、農奴制がなくなった後、その土地はもちろん農民のものになるべきなのだが、農民が自分たちの土地で耕作するには、その土地をお金で買わなければならない。そもそもたいしてお金なんて持っていなかったので、やはり多額の借金を背負わなければ、購入できない。結局、元の地主に借金を背負わされ、購入することになる。一応は自分の土地になって耕すことはできるようになったものの、一生かかっても、その土地を購入したときの借金は返済できないほどであった。これはどこか現在の住宅ローンにも似ている。でもなぜか多くの人が、これに慣れすぎて、三五年くらい奴隷となって働かされる。

いずれにせよ、農奴解放なんて名ばかりだったのだ。いくら農奴解放の御触れが出たとはいえ、その後も農民は苦しい生活を、ともすれば以前よりも苦しい日々を強いられることになってしまった。地主は結局、皇帝の御触れのおかげで大儲け。皇帝はブルジョワたちの支持を得るようになる。ブルジョワたちの人気取り政策でしかなかった（ここでは触れることはできないが、近代化を促すために、農民人口を減らし、工業従事人口を増やしたかったという前提もある）。農民からすれば、農奴解放なんてまやかしだ。国家なんて、皇帝なんて、嘘つきだ。ふざけるな！　そこで盛り上がっていったのがナロードニキ運動だ。

こうなったら革命しかない。皇帝なんかいらない。クソ食らえ！　とはいえ、そんな思いがある一方で皇帝という存在は、農民の中では崇拝の象徴でもあった。だから、ナロードニキ運動も、当初は農民からすれば、地位向上を掲げたくとも、何も皇帝まで敵にしなくてもいいではないか、という機運もないわけではなかった。

そこでナロードニキ運動のラディカルな立場の人たちは、いやいや、皇帝なんて、崇拝の対象じゃなくて、ただの人ですよ、しかも極悪の人ですよ、という理解を広めるために、テロリズムに訴えるようになっていった。要は、皇帝ですら、人間なんだから、脅せばビビって、我々のいうことを聞くようになるだろう、ということだ。暗殺がうまくいけば、首尾よく皇帝がいなくなるわけだから、体制も変わるかもしれない、そんな望みもあるわけだ。だから積極的にテロを敢行していった。時には弾圧されながらも、最終的にアレクサンドル二世は一八八一年に暗殺された。

この間、のちにボリシェヴィキを率いることになるレーニンは兄を皇帝側からの弾圧で亡くし、この時の反骨精神が彼を革命へと導いていったとも言われたりする。また、この皇帝暗殺犯として逮捕されたナロードニキ運動のラディカルな推進党派だった人民の意志党の五人（ジェリャーボフ、キバルチッチュ、ミハイロフ、ルイサーコフ、ペロフスカヤ）には死刑が確定してしまった。こうした恐るべき状況に対して、当時の（そして今も歴史上に名を轟かせる）大作家レフ・トルストイは皇帝にかれらの助命懇願の手紙を出したが、それが皇帝に届くことはなかった。皇帝の側近がその手紙を受け取りながらも、皇帝には渡さなかったのである。

それでも帝政ロシアは続き、貧富の差は拡大していった。皇位を継承したアレクサンドル三世は、さらなる権力集中を声明で出した。民衆に対するむき出しの敵意が感じられるこんな声明だ。


この悲しみのなかに、神は命じ給う。大胆に政府の舵をとれ。聖なる摂理を信ぜよ。専制権力の力と真理を信ぜよ。人民の幸福のために、あらゆる障害を排して専制権力を

強固にすることがわたしの使命である。(『ロシアの革命』一二九頁)

皇帝権力を強めることで、「あらゆる障害」たる革命勢力を大弾圧しますよ、という宣言にも読める。事実この皇帝は、革命を起こそうとする運動をことごとく潰しにかかったし、ロシア化政策も進めていった。国教だった正教の教えを、併合していたポーランドやバルト地方にも強いて、言葉もポーランド語廃止・ドイツ語廃止という政策まで推し進めていく。弾圧されていった革命活動家は、ロシアを飛び出して、外国に亡命しつつ、ロシアでの革命運動を支援していった。弾圧されれば、燃えるのが運動である。キリスト教がかつてローマ帝国で大弾圧されていたが、その反動で、キリスト教徒の団結は強まったのと同じように、革命運動も、皇帝許すまじと、どんどん盛り上がっていく。

アレクサンドル三世の息子で、最後の皇帝ニコライ二世の統治下でのことである。日露戦争で戦費がかさみ、重税に次ぐ重税で、下層農民をものすごく苦しめていった。もはや、農民だけではない。多くの民衆が、ロシア皇帝に怒り出していた。街頭ではデモで文句を言いまくる民衆が続々と集まっていた。一九〇五年一月、デモで集まる民衆へ向けて軍隊が発砲をはじめる。死者が続出だ。「血の日曜日事件」と呼ばれている。生活が苦しくて、なんとかしてほしい、とただ文句を言っていただけなのに、殺すなんて酷すぎる。ふざけるな。民数の怒りが溢れ出す。実は民衆だけではなかった。ロシアの軍部にも皇帝に反旗を翻しはじめた。戦艦ポチョムキンの水兵、しかもやはりウクライナ人の水兵たちが、皇帝権力に対して反乱を起こしたのだ。皇帝権力側もたじたじである。とはいえ、ほうほうのていでなんとか鎮圧、革命勢力を弾圧した。これが一九〇五年のロシア第一革命のあらましである。もう専制政治を打倒する革命が起こる寸前だ。一九一七年の二月革命まであと少し。

### †革命家マフノ

この一九〇五年の報を聞きつけて、みんなで立ち上がれば、革命だって起こせるじゃないか、少なくとも、国家を、皇帝を困らせてやることくらい簡単だ、そう思ったマフノはいてもたってもいられなくなった。ドイツ人のもとで奴隷のように働くことなんてまっぴらだ。こんなことをしている場合じゃない。生活を変えたい。変わりたい。どの政党にも属さずに、アナキストとして革命家の道へと進むことになった。当時のウクライナでは、共産党の勢力はあまり入り込んでいなかった（のちにものすごい勢いで入り込んでくることになる)。革命を目論む勢力は、何かしらの党を形成するというよりもむしろ、それぞれの小さい団体が数多くあったという状況にあった。それぞれの団体は、アナキズムを標榜していたり、あるいはアナキズムすら標榜しておらず、とにかく革命だ、と突き進んでいくものであった。

そんな中、マフノはウクライナのアナキスト系の武装戦線に加わり、ウクライナ内でテロ行為に参加するようになった。テロ行為に走れば、相手をビビらせ、前に出ていける。とはいえ、少数の団体が数多くある状態で、アナキズムって何やねんという状況の中、なかなかうまくいかない。政府の出先機関に攻撃を仕掛けたりするも、とうとう捕まってしまう。ロシア帝国の管轄で裁判にかけられ、刑務所に送られてしまう。ロシアに移送され、政治犯として投獄されてしまった。しかし、である。獄中で、たくさんのアナキスト仲間や、社会主義者などの革命家たちと知己を得ることになる。今私たちが参照できるマフノ評伝を書いたアルシノフもその一人だ(彼はアナキストであったが、後にボリシェヴィキへ転向してしまった)。

九年間投獄され、故郷のグリャイポーレにようやく戻ることができたマフノ。ウクライナでは、圧政に次ぐ圧政、グリャイポーレだけでなく至るところで農民はことごとく怒っていた。そんな中、同郷のアナキストが戻ってきたとなると、もう、英雄。よく生きて帰ってきた。革命運動をして捕まったなんて、もはや偉い。そもそも小さい時から苦労している姿を見ているからな。お前はグリャイポーレの星だ。こんなことを言わんばかりに凱旋帰郷と相成った。こんな故郷の人たちの気持ちを無下にすることはできない。

そこでマフノは、せめてグリャイポーレだけでも圧政から逃れた自主管理のコミューンにするしかないと思い立つ。彼はグリャイポーレでの合議制体に参加する。当時流行っていた、ソヴィエトだ。ソヴィエトとは、ボリシェヴィキによって悪名高くなってしまったのだが、当初はそうではなかった。そもそもは合議体、ないしは評議会という意味合いだ。様々な意見を持ち合わせた人々がそこに参加し、村や共同体の会議を行い、そこで自分たちで決めていく。誰かの指導や党の方針に従うためのものではない。ましてや一党独裁によるソヴィエトなどではなかった。このソヴィエトとは当初、民主主義を体現したような制度であったのだ。「すべての権力をソヴィエトへ」という有名な標語は、そうした雰囲気の中叫ばれたものであった。

アナキストたちが多くの地域でソヴィエトを形成していき、そこはアナキストだけが物申す場などではなく、共産党員もいるし、軍人もいるし、農民も商売人も工場労働者も様々な人たちがいて、皆であーでもない、こーでもないと話し合いをする場であったのだ。しかしながら、よく知られているように、後にこの標語の意味合いがロシアを中心に、ボリシェヴィキによって換骨奪胎されてしまい、ボリシェヴィキの影響力が大きくなるに従って、かれらの権力を支えるためのソヴィエトに成り下がってしまう。ソヴィエトがボリシェヴィキに利用され、しまいには、ボリシェヴィキのためのソヴィエトになってしまう。非常に残念だ。

このグリャイポーレのソヴィエトでマフノはぐんぐん頭角を現した。農民たちをはじめとした労働者はブルジョワを叩き出し、自らの手で自らの生活を形作ることができるように村を変革していった。たとえば、アルシノフはこう述べている。

一九一七年八月中旬、彼〔マフノ〕は地区ソヴィエト議長として、地区の全ての地主と財産所有者を集め、その土地と資産に関する証書類を没収し、これらの土地と資産の正確な算定をおこなった。その後、まず、郷ソヴィエトの集会で、ついで、地区ソヴィエト大会で、報告をおこない、地主と富農に残される土地は労働農民と同様な〔自身で耕作する〕土地に限られることを提案した。地区ソヴィエト大会は、この提案に基づいて、富農と地主にはその労働比率に応じて土地を残されること、また、家畜を含む農業施設についても同様に処置されることを決定した。グリャイポーレ地区にならって、エカチェリノスラフ、タヴリーダ、ポルタヴァ、ハリコフ、等の県の数多くの郡農民大会で同様の決議がおこなわれた。(ピョートル・アルシノフ『マフノ運動史 一九一八―一九二一 ウクライナの反乱・革命の死と希望』二〇〇三年、五〇～五一頁)

マフノたちはブルジョワを全員皆殺しにしていたわけではない。ひどい仕打ちをして、殺しにかかってくるブルジョワ悪党をあくまで懲らしめただけであって、基本的には、彼らも共に、生きていく世界を目指していた。もちろん、ブルジョワではなく、元ブルジョワとして、プロレタリアの仲間として、である。

土地や資産をみんなで分割すれば、真面目に働けども貧乏な人たちにも資本が分配される。さらに言えば、あまり働かない人でさえも、なんとか命はつないでいけるようになる。もちろん働けども働けども、貧乏暇なし、という状態からの解放を目指していたのがマフノであったし、アナキストたちの目論見であった。そもそも豊かなウクライナはちょっと農作業すれば、本当に、どうにでもなる。だいたいそんなにあくせく働かなくても、豊かに暮らせるのだ。だから、グリャイポーレだけでなく、各地でこうした議決がなされ、だんだんみんなの暮らしが良くなっていった。そうなると、やはりマフノ、すごいじゃないか、そもそも政府なんていらないじゃないか、皇帝なんていらないじゃないか、ともすればボリシェヴィキだっていらないじゃないか、そうなってくるのは当然だ。

## †無政府主義将軍ネストル・マフノ

とはいえ、これで安泰かと思いきやそうはいかない。先にも述べたように、ドイツ・オーストリア軍がヘトマン体制でもってウクライナをどんどん占領してくる。またペトリューラも勢いを増してくる。しかもウクライナの中央ソヴィエトは、グリャイポーレのようにアナキストたちによるソヴィエトではなかった。ブルジョワ民族主義者たちに握られていたのだ（のちに中央ソヴィエトはボリシェヴィキに握られる）。

これには黙っていられない。いつまたあの貧しかった、虐げられた生活に戻るかわからない。まっぴらごめんだ。そんなになるくらいなら戦う。撃退する。一生懸命豊かな生活に変えてきたのだ。しかも国家に頼らずに、自分たちの手で。自分たちの生活は自分たちで作り上げる。そんな当たり前のことをさせない国家制度など要らない。かつての気持ちを思い出す。怒りがふつふつと湧いてくる。ふざけるな！　地区ソヴィエトでは、なんとかこの窮状を打破するために、武装闘争を繰り広げるようになる。

マフノは農民出身であった。だからそもそも、その辺を駆けずり回って移動する人だったとも言える。方々行くのにも、馬に乗って何処へでも行ってしまう。ウクライナの地形には詳しい。それに対してブルジョワの軍隊は理念先行型で頭でっかち。普段から武力に訴えることなどしていなかったし、地形なんかほとんど知ることのない連中だ。ドイツ・オーストリア軍もそうだ。他国の情勢や地理などほとんど知らない。とにかく、植民地が欲しい、金儲けがしたい、それだけだ。だから、マフノらの武装勢力は、だいたいにおいて優位に立つことが多かった。地の利を生かした戦術・戦略に長けていたのだ。

それだけでなくウクライナのほとんどを構成する農民の多くがマフノたちの味方についていた。彼らからすれば、ブルジョワのために奴隷労働なんてうんざりだ。わけのわからないドイツ・オーストリアのために働かされるなんてうんざりだ。ましてやどこの馬の骨かわからないロシア共産党に利用されるなんてうんざりだ。農民だけではなく、その他の民衆にも支持層が増えていった。そうであるからこそ、マフノたちは有利に戦いを進めていった。

というのも、いつも農民が、民衆が協力してくれたのだ。マフノをやっつけようと、民族主義の軍隊や白軍、赤軍、ドイツ・オーストリア軍がいつでもマフノの後を追いかけたが、その辺の農民にマフノはどこにいるのか尋ねても、農民はマフノがいるのとは反対方向を指して、あっちです、と答える。あるいは、敵軍に囲まれて、窮地に立たされたマフノをかくまった農民もいる。そのおかげで一命を取り留めたことがマフノ自身何度もあった。常に、農民が、民衆が、味方してくれた。だから彼は勝てたのだ。

マフノ軍の軍旗。「勤労者の自由獲得に立ちはだかるすべての者に死を」と書いてある。怖いけど、かっこいい。

とはいえ、戦ってばかりでは疲弊してしまう。なんとか、ボリシェヴィキと同盟を結んで、革命闘争を進めていきたい。あちらが国家主義者でこちらがアナキストだとしても、やはり共産主義を双方ともに標榜するからには、一応は仲間だ。資本主義はうんざりだ。外国のわけのわからない傀儡政権

レーニン

で統治されるなんて嫌なこった。じゃあ一緒に共闘はできるはず。そうマフノは考えた。

マフノはなんと、モスクワまでレーニンに会いに行く。ロシアは、アナキストよりもボリシェヴィキや社会革命党（エスエルとも呼ばれたりする）の一大拠点となっていた。ともすれば、アナキストは大した罪を犯さなくても、牢獄にぶちこまれたりする状況にあった。しかしなんとか助け舟を出してもらうべく、密入国に近い仕方でロシアに潜り込み、レーニンと話し合いの場を設けようとした。この頃レーニンはボリシェヴィキの初代指導者で、ロシアでぶいぶい言わせていた。一九一七年二月革命で臨時政府を創設し、十月革命でほぼボリシェヴィキで多数派となっていった。

ちょうどマフノがモスクワに来た一九一八年は、とても微妙な時期だった。というのも、ともに十月革命以降政権を担っていた社会革命党を排斥するべく、政治的な駆け引きがものすごくなされていた時期だったのだ。反対に社会革命党も躍起になって地下活動しているアナキストの一派とタッグを組んでレーニン一派を合法非合法問わず、排斥しようとしていたのだ。クレムリンに入った際には、ちょっとでもアナキストであることを匂わせたら捕まってしまうのではないかとドキドキしていた。アナキストであることは黙って、ウクライナの窮状を伝えるていで、クレムリンのレーニンのいる部屋に入った。潜入成功だ。

マフノはレーニンと話している最中、だんだん、自らがアナキストであることを隠せなくなった。もういいや、好きなこと言っちゃえ。我慢ならん。自身の立場を明かした。ボリシェヴィキそのものや、その軍隊である赤軍が、いかにウクライナにおいては無能かを語った。先にも記述した「すべての権力をソヴィエトへ」という標語をめぐって議論もした。案外レーニンは話を聞いてくれた。

しかしその一方で、やはり意見の相違が際立ったままに終わった。せいぜいウクライナで頑張れや、と餞別の言葉をもらったくらいで、マフノはウクライナに戻った。畜生、ボリシェヴィキの役立たず。ケチ。馬鹿。所詮権力だけが好きな連中だ。民衆と汗を流すよりも、国家運営の方が好きな連中なのだ。のちにボリシェヴィキはむごたらしいまでに、マフノ革命軍を全滅させていくことになる。嗚呼、怖い、共産党。

## †嗚呼、無念、マフノ革命軍

マフノ革命軍は、それでもなおコミューンを至るところに作り出していく。農民を救い、矢継ぎ早にやってくる敵を相手に戦い続けた。実は、先にレーニンに会った時に、老クロポトキンにも会いに行っていた（ついでにトロツキーの演説会にも行ったりもしたようだ）。ウクライナで農民と革命運動をすることについての助言を中心にマフノは彼に尋ねた。

これ以前にも、たまに手紙で相談をしていたようで、マフノはクロポトキンをかなり慕っていた。老クロポトキンはこんなことをマフノに述べてくれたという。「……親愛なる同志、闘争には感傷は許されない、ということを忘れてはいけませんよ。犠牲的精神、目標へ向かって突き進む固い意志と決意が何物にも打ち克つのです」（『マフノ運動史』三一九頁）。おそらくこの言葉を胸にマフノは戦績を上げていったことであろう。後にマフノはこのように語っている、「ピョートル・アレクセイヴィチ〔クロポトキン〕のこの言葉を私は常に思い出してきたし今も思い出している」（同前）。マフノにとっての、金言だったのだろう。

この間、帝政派の白軍もウクライナで襲ってきた。今まで撃退していった派閥が今度は帝政派のデニキンの後任ウランゲリに協力するようになった。彼はウクライナだけでなく、ロシアもろとも、もう一度反動的な専制体制を敷くべく反撃を開始したのだ。ウランゲリたちの白軍はロシアで画策を練って、クリミアに軍隊を集めて、そこから北上しながらウクライナを手に入れ、そしてロシアに入り込み、ボリシェヴィキと戦うという算段であったようだ。マフノ革命軍からすれば、北に赤軍、南に白軍。囲まれている。やばい。赤軍からしても、黒いアナキストよりも、白軍の方が敵である。百歩譲ってマフノたちはコミュニズムを標榜はしている。しかしウランゲリたちはコミュニズムを破壊しにくる。しかも今まで撃退していったはずの連中の連合軍でもある。なかなか勢いがすごい。破竹の勢いでモスクワめがけて北上してくる。

そこで、ボリシェヴィキとマフノたちは手を結ぶ。休戦協定だ。もちろんマフノたちはただでは休戦協定を呑まない。投獄されている、ないし流刑されている全てのアナキストを釈放せよと迫った。ボリシェヴィキはこれを諾とする。その代わり、モスクワに来る前にウクライナの時点でマフノ革命軍に白軍を撃退してくれと要請する。仕方がない。仲間が自由の身になれば、ウクライナに戻ってきて、マフノ革命軍だって人数も増える。そうすれば、白軍をやっつけた後に、赤軍を追いだしてしまえば良い。そんな算段であった。

そもそものすごく強いマフノ革命軍である。白軍が来たってへっちゃらである。奴らが来るも何も、マフノたちがクリミアに乗り込んで、ウランゲリたちの本陣に突っ込んでいく。一気に叩いて、白軍を仕留めた。よし、これで、仲間が戻ってきたら、赤軍を追い払ってやろう、そう考えていた。しかし、である。そもそも、アナキストたちが釈放されたという報を聞いていない。あれ、おかしい。裏切られたのだ。それどころか、マフノたちがクリミアに行っている間にボリシェヴィキがウクライナにドーッと押し寄せ、アナキストたちを一斉に検挙。他にも、ボリシェヴィキは、アナキストを招聘してボリシェヴィキの私たちと会議をしましょうというていで、アナキストをたくさんおびき寄せ、その会議の場で、アナキストたちを全員殺してしまった。ひどすぎる。

白軍と一戦交えて疲弊していたところに、この仕打ちだ。マフノ革命軍やウクライナのアナキストの勢いは一気に衰えてしまった。この弱ったところに追い打ちをかけるように、赤軍が一気にウクライナになだれ込んできて、マフノたちを壊滅状態に追い込んでいく。ひどい、ひどすぎる。

協力してくれていたはずの農民たちも、実はこの間、ボリシェヴィキのプロパガンダによって、ちょっと動揺していた。そのプロパガンダによれば、マフノ革命軍はユダヤ人が大嫌いで、ゆくゆくはユダヤ人を虐殺すると嘘の情報を流したりしていた。ヘイトスピーチ！　もちろん、過去にクソみたいなブルジョワユダヤ人を殺してしまったかもしれない。でもユダヤ人だから殺したのではない。仲間を奴隷のように扱い、殺してきたから、やり返したまでだ。もっと言えば、ユダヤ人の農民もいて、マフノ革命軍に参加していたユダヤ人たちも数多く存在している。だからボリシェヴィキの言っていることは完全にデマだ。

だけど、時に素朴な農民たちである。信じてしまったりもする。あるいはあまりマフノ革命軍のことを知らない地域の人たちには、ボリシェヴィキはこんなデマも流していた。マフノ革命軍は、街に入ればすぐ略奪行為を働き、脅してみんなを従わせるのだぞ、と。もちろんここまで読んできたらわかると思うが、そんなことはしない。常に民衆の立場に立って、ソヴィエトを組織し、武装闘争をしてきたマフノたちだ。だけども、何も知らない人たちは時に、真に受けてしまったりする。いじめだ。ウクライナには、いられなくなってきた。こうなったら逃げるしかない。

マフノはほうほうのていで、ウクライナから脱出する。生きていれば何かいいことがあるはずだ、生きていれば……何とかパリに落ち着いた。しかし晩年のマフノはとても幸せだったとは言えないようだ。かつての激しい戦争状態から、一気に環境が変わりすぎた。

体調も崩した。アルコール中毒にもなった。パリ・オペラ座で働いたりもしていたが、そもそもウクライナが大好きなのだ。田舎が好きなのだ。コミューンが好きなのだ。都会には自然がない。ウクライナ語が通じない。パリでは本当にパリ・コミューンなんてあったのだろうか。信じられないほど、消費社会が広がっている。

マフノが去った後のウクライナはボリシェヴィキがぶいぶい言わせていた。ウクライナに残っていた友人たちはことごとく処刑され、農民たちは、無理やり近代化の波に乗らされ、多くの人たちが荒波にさらわれていってしまった。「だめだ、俺はもうだめだ、俺はもうだめだ」(byゆらゆら帝国)。鬱々と晩年を過ごした。

### †マフノ運動のコミューン

このようにマフノは大敗北を喫した。しかしながら、マフノたちは武装闘争ばかりしていたのではない。当時のソヴィエトで、コミューン形成にとっての数多くの重要な取り決めをしていったのだ。そこには私たちがマフノ運動から学ぶべき知恵がある。具体性の知恵だ。戦争では負けたが、マフノたちの精神は勝ったと言ってもいい。そして今もなお私たちはこのマフノたちの衣鉢を継ぐことができる。その意味ではマフノは勝ち続けている。

マフノが拠点にしていたグリャイポーレでは、農民や労働者の自主管理だけではなく、学校建設にもまた力が注がれていた。もちろん、内戦状態のウクライナである。グリャイポーレもまた度重なる軍隊の進駐で学校が壊滅的な状況であった。教師の給与はもちろん支払われないし、そのせいでほとんどの教師は逃げ出してグリャイポーレにいない状態。建物は使われないで荒れてしまう。そこでマフノたちのソヴィエトは学校建設に取り組んだ。労働者がその地域で自主自立の精神で仕事を行っていったのと同様に、学校教育もそのようにあるべきだとして、地域住民が一丸となって教育現場を作っていった。単なる知識を教授する場ではなく、自由な人間を醸成していこうとつとめた。グリャイポーレの学校は教会からも独立し、国家からも独立した。

当時の著名なアナキストの一人でフランシスコ・フェレールというスペインの教育者がいた。前にも述べたことだが彼は、宗教からも、国家からも自由に、そのコミューンごとに学校を設立していく旨を提唱していた。彼のその運動はスペインで特に広がり、実はある時期のスペインの学校は、ほとんどこうした自由主義学校と呼ばれるものしかなかった。この運動は特に、フランコ政権下のスペインで、独裁体制に反発して広がったものでもあるが、スペインだけでなく、ヨーロッパ中でコミューンに関わる者たちは、この自由主義学校の息吹が流れ込んでいた。

そんなフェレール主義者とも呼ばれる人たちが、グリャイポーレの実情を聞きつけ、入り込んでいた。そんな学校教育、面白いじゃないか、とグリャイポーレの住民たちも協力して皆で学校建設が盛り上がっていった。マフノも足に重傷を負って闘争に行けない時などは、この学校での集会に度々参加したり、事務作業を手伝ったりしていた。

残念ながら、あまり資料は残されていないようなのだが、独自の学校の経営と教育の方法が頻繁に話し合われていたという（まぁもちろん、現在の日本の教育機関もそうではあるのだけれども、何せ文部科学省という悪の親玉がいる限り、学校の自主運営など不可能に近い）。まず、農民・労働者・教師の代表から成る学校委員会が組織され、教員の給与と学校維持に必要な経費の産出を含め、自由教育の方針を話し合い、運営がなされていった。もちろん、万人に開かれた学校だ。識字率の向上も目標に据えられている。老人であれ、兵士であれ教育の機会はある。成人識字教育の専門家もいたようだ。

とりわけ、兵士たちの政治教育講座が開かれた。なぜ、革命が必要なのかの最低限の知識を教授し、その上で、兵士たちの武器の知識や革命の戦略などの講座があったようだ。

プログラムには、政治経済・歴史・アナキズムと社会主義の理論と実践・フランス第三革命の歴史（クロポトキンの本が教科書に使用されていたようだ）・ロシア革命における革命反乱の歴史などなど。

他にも課外活動が行われていた。とりわけ演劇は、皆熱心に取り組み、戦闘中でさえも、演劇班は戦況の許す限り芝居をうっていたようだ。ボリシェヴィキの封鎖が解かれた時などは、芝居小屋は超満員で、皆演劇に熱中していた。

楽しみまで自分たちで作ってしまう熱の入れようだ。ともすれば個人消費のみに熱中させて、人と喜びを共に分かち合うことを妨害していく現在の資本主義のあり方の貧相な「楽しみ」とは全く異なるものだ。コミューンならば自分たちのことは自分たちで決めて、喜びを分かち合い、悲しみも皆で共有する。たった一人で悩むよりも皆で相談した方が、仮に解決はできなくとも、気持ちは楽になるなんてことは、よくある。グリャイポーレではそれが当たり前の日常だったのだ。

他にも初等教育に関して、言語教育という重要な側面がある。国家が教育に関わるときに、教育勅語よろしく、統一的な言語政策を強いることで、支配を強固にしていく。ウクライナでは数多くの民族が住んでおり、多言語が話されていた。先にも述べたように、自由主義学校は地域が育んでいく教育機関だ。だから「初等教育における言語の問題は、われわれ、軍ではなく、両親、教師、児童生徒によって代表される大衆自身のみが決定することができる」(『マフノ運動史』一九〇頁)。それまでウクライナの多くの学校では、ロシアの圧力で、母語での初等教育が禁止されていた。グリャイポーレをはじめ、マフノたちのかかわったコミューンでは、こうしたことは即座に禁止された。

たとえばマフノたちは、彼らの新聞『自由への道』でこんなことを発表していた。「大衆の知的発展を考慮におきつつも、初等教育の言語は、地域住民、教師、児童生徒とその両親の自然な思考に一致するものでなければならない。この問題は、権力でも軍でもなく、彼ら自身が自由に自主的に決定すべきである」(同前)。

コミューンの自由、労働者の自由、教育の自由。それを徹頭徹尾求めていったのがマフノたちの革命運動でもあった。先のユダヤ人へのヘイトスピーチ問題も、ボリシェヴィキのでっち上げに過ぎない。民族性の違いなどマフノたちの革命運動では一切問題にされていなかったのだ。

現在の私たちの住まう社会ですら、共同体ですら偏狭で心無い言葉が時折吐き出されてしまい、それを聞きたくなくとも聞かなければならない瞬間があったりする。その多くは国家が作り上げた虚像だったり、党が作り上げていったそれだったりする。私たちが顔を突っ伏し合い、その上で吟味されたものなどで決してない。ソヴィエトがもしも今も語り継がれるとするならば、国家や党に奪われたそれではなく、私たちの現場が語られる場であるべきなのではないだろうか。そこからこそ、コミューンの自由、労働者の自由、教育の自由が可能になるのではないだろうか。ソヴィエト・コミューン、それはおそらく私たちがずっと暮らしてきた生の作法なのかもしれない。

# おわりに

## †いつも心に革命を

どうだっただろうか。アナキズムになんとなく入門できただろうか。実は本書の登場人物以外にも、たくさん面白いアナキストは存在している。ちょろっと登場したゲルツェンやギヨーム。マラテスタやカフィエーロ。ルイズ・ミシェルやエマ・ゴールドマン。名前こそ出なかったが、ヨハン・モストという人もいるし、はじまりのアナキストの一人でもあるゴドウィンやシュティルナーなどなど。あるいは、マフノ運動の後のアナキズムの隆盛といえば、スペイン戦争もある。スペインではアナキストたちが主要都市や田舎の町の工場や労働環境を自主自立の精神で運営していった事実がある。実は、ここ数年、スペインも政権が組閣できていない状態で、ほぼ何も決定できないにもかかわらずGDPが増えてしまったなんて実例もある。いずれにせよ、書きたいこと、書くべきことはたくさんある。しかし、入門なので、ここでひとまず。

アナキズムの運動の特徴にはそもそもアノニマスであるという点が挙げられる。匿名性だ。だから、固有名で語り切れるものでもない。何を今更と思われるかもしれないが、それでもなお、プルードンにはじまりマフノにおわる本書で、アナキズムのなんたるかを知って欲しかった。

というのも、実はヨーロッパのアナキズムの流れを紹介している書物が、今やほとんど手に入らない状態だ。七〇年代までは入門書も出ていたし、九〇年代くらいまではかろうじて手に入った。しかし時間が経つのは恐ろしい。ともすれば忘却されてしまったのではないか、というくらいアナキズムの本も出なくなった。本書は使命感に駆られて書いた。そんな側面もある。

国外ではどうか、というと、相変わらずアナキズムの層は厚い。武装闘争する人たちもいれば、アンチ・ファシズムで暴れまくってる人たち（レッド・ブロック）、黒い格好で警察を一点突破していこうとする人たち（ブラック・ブロック）、ピエロの格好して煙に巻く人たち（クラウン・アーミー）、コミューン作ってスクワッドやオキュパイ運動をする人たちなどなど。

アナキストはどんなことがあっても、原理原則として、反権威主義というものがある。平等の精神に満ちている。要は、優しい心の持ち主たちだ、ということだ。私は少なくとも優しくありたいし、優しい人と生きていきたい。これはどんな人たちにとっても大原則だと思う。金がないなら死ね、努力が足りないから死ね、お上の言うこと聞けないなら死ね、人種が違うなら死ね、こんな言葉がまかり通った社会ならば、私は少なくとも、要らない。是非、壊れていただきたい。勝手に壊れて、その後に立ち上がるのは、優しい社会であってほしい。その時の準備を今からする。いやむしろ、今先に実現させる。革命後の世界を生きる。本書では革命という語が頻出していたと思う。この語も実は手垢にまみれている気がする。しかし私はこの革命という語くらい、希望を込めて使いたい。

いつも心に革命を。それがなければ生きていかれんばい。

## †方法としてのアナキズム

本書のはじめにも書いたが、鶴見俊輔のアナキズムの定義が、とてもわかりやすい。

「アナキズムは、権力による強制なしに人間がたがいに助けあって生きてゆくことを理想とする思想」だ。この時に重要なのは「たがいに助けあって生きてゆく」こと、つまり「相互扶助」であるのは言うまでもない。クロポトキンが示していた通り、こうした相互扶助は以前からもあったし、これからもあり得ることだ。そこに私は少なくとも救われる思いがする。

こうした相互扶助の特徴とは何かといえば、国家が私たちにやらかしてきたことや、近代化が私たちにもたらしたものとは異なる、とても息が長く、そして生きる上で不可欠な位相がある、ということに尽きる。人間の伝統から学ぶ。自然の営為に学ぶ。保守反動などではない。そうではなくて、それが革命なのだ。鶴見はこう述べている。

結局は能率的な軍隊の形式にゆきつくような近代化に対抗するためには、その近代化から派生した人道主義的な抽象観念をもって対抗するのでは足りない。国家のになう近代に全体としてむきあうような別の場所にたつことが、持久力ある抵抗のために必要である。二十世紀に入ってからうまれた全体主義国家体制のうまれる以前の人間の伝統から、われわれはまなびなおすという道を、新しくさがしだそうという努力が試みられていい。近代に依存して、ピース・ミールの改革をすすめるという道も、すてさる必要はないのだが、人間の文明を見るわくぐみは、考え直されるべき時に来ている。カラスに変身するなどというのは、ばかげたことに思えるかもしれないが、自然と人間とを新しく結びつけるわくぐみの中で、文明を考えてゆく方法としてこのような情念の形成が意味をもつ。自然に対する人間のごうまんをこわすべき時が来ているのではないか。(『身ぶりとしての抵抗　鶴見俊輔コレクション2』二九頁)

近代的な思考方法に対して近代的なそれで対抗しても相対的な戦いになるだけだ。しかも相手は国家だったりすれば、結局勝てない。そうではなくて、私たちが本来持っていたものを武器にして、別の土壌で勝負をするしかない。その意味で、アナキズムは左翼だとか右翼だとか、そう言った相対的な議論からは外れる。もちろん、極左でしかありえないのだが、そうである以上に、知恵の位相にたどり着く。「カラスに変身する」というのは、鶴見がこの文言の前に、カスタネダの事例を出して語っていることだ。これは、ペョーテを食べて、幻覚を見ていくことだったりするが、それはただの遊びではない。そうではなくて、あらゆる未開民族と呼ばれる人たちが有していた知恵のことだ、儀式だ、生の技法だ、レトリックだ。レトリックというか、言語だ。思考方法だ。

二一世紀になってもなお玄関先に盛り塩を置いているところがある。あるいは、神社仏閣には、相も変わらず、動物が祀られていたりする。あるいは石が祀られていたりする。私たちの言語は確かに論理を操ることができるが、しかしその一方で、詩的言語をも操ることができる。そして、多くの場合、私たちは詩的言語を発話している。発話を文字起こしして、真偽判断にかけてみれば、多くが偽となるのは明らかだ。文法通りに喋っているわけではない。

何が言いたいのかというと、レトリックやこうした言語、そしてこうした思考方法でこそ、私たちは大半を過ごしているし、そうした方法でもっても、心は通いあうことはできるし、ほとんどそうして心を通わせている。クマの毛皮を被ってグワーッとお祭りで暴れたり、イノシシをハンティングしたらその臓物は山にお礼として返す。人間と動物は、人間と自然はともに存在し、レトリカルな関係をずっと築いて暮らしてきたのだ。そう、私たちは未だに未開民族なのだ。

私たちはこのように本来持っている位相に軸足を置いて、論理や理性、近代や国家、そして権威と向き合うべきなのではなかろうか。これはアナキズムの本性だ。今ある見せかけの土壌を変える。生活に、具体性に、自然に足をしっかりつける。地を這うことが重要なのだ。こうしたアナキズムの基礎に基づいてマフノはコミューンを作っていった。ルクリュは進化を唱えていった。クロポトキンは相互扶助を再発見していった。バクーニンは暴れた。プルードンは革命を唱えた。

### †アナキズム、あるいは文化人類学の哲学

鶴見が述べていたように、私たちの生の古層を手繰り寄せて、掘り起こしていくことで、私たちの生のなんたるかを知ることができるのではないか。クロポトキンは動植物から解きほぐして、人類の相互扶助を解き明かした。ルクリュ兄弟は、人類の宗教や生活スタイル、地理的環境などから私たちの生の技法を明らかにしてくれた。後にモースは、彼自身アナキストではなかったかもしれないけれども、彼の膨大な未開民族の資料調査から、人間の生の技法を摑み取り、彼自身そこに基盤を置きながら協同組合の実践をしていった。またあるいはレヴィ＝ブリュルは、科学的思考を可能にする論理よりもむしろ、私たちのそもそもの詩的な思考方法を未開社会に見出し、そうした見地から哲学史を展開し、食の哲学を編み出した。他にもレヴィ＝ストロースは彼もまたアナキストではないかもしれないが、私たち人類がそもそも有している構造を明らかにしていった。

私たちの生の古層を掘り起こすのに、人類学の見識には驚くべき事例が沢山ある。同時代のアナキストで人類学者のグレーバーはまさにそうした見立てから、アナキズムを展開している。私たち人間が自然とともに生きてきた技法をもとにして、生活を、共同性を、アナキズムを、コミュニズムを、今一度見直しているのである。グレーバーの指摘を待つまでもなく、私たちは私たちの生の技法の中にアナキズムを見出すことができる。そこに学ぶべきことが数多くある。

先にも述べたように、現在の諸悪の根源の多くは、ここ最近のものばかりだ。せいぜい数百年で培われてきた、私たちを飼いならす方法だ。しかし私たちは何千年も前から、飼い慣らされる／飼い慣らす、とは異なる仕方で、他者と共同体と、そして自然と対峙してきたではないか。再び鶴見で申し訳ないが、それと通じるようなこんな言葉がある。

自分を無力な状態にして、権力に対して抗議するのは、無駄なようにも思え、矛盾を含んでいるようにも思える。たしかにそうだ。他にもっと有効な抗議の仕方をさがさなくてはならない。

それにしても、他の有効な方法が、地位を利用することであったり、団体の力を利用することであったり、有名人を利用することであったりすると、批判する相手の国家権力はもっと金があり、大きな組織があり、もっと地位と名声をもっている人をかかえているので、こちら側の有効性をうわまわる有効性をいつも、むこうがもっており、抗議することは無駄というふうにも考えられる。

そうすると、やはり、自分を一個の粗大ゴミとして道路の上におくという抗議の形は、根本の抗議の形として、大切なものに見えてくる。そういう抗議を、はだかの自分としてなし得るという自覚が、権力への抗議のもとにあるほうがいい。それがあって、その他に（いくぶんでも）有効な他の抗議の方法をさがすというようでありたい。（『身ぶりとしての抵抗　鶴見俊輔コレクション2』一五頁）

権力が提示してくるここ数百年の論理による私たちへのいたぶりに対して、同じ土俵で対峙するのではなく、他の仕方で、しかもそれはここ数千年のある種の技法や知恵を示していくこと。オルタナティヴではなく、レヴォリューショナルなものだ。所詮国家には勝てない。所詮権威には勝てない。所詮社会運動は勝てない。部分的には勝てるかもしれないが、完全勝利などはほぼない。なぜなら私たちはすべてを求め、すべてを拒否するからだ。プルードンも述べていたように、「永久革命」を私たちは生きるからだ。ルクリュも述べていたように、「革命」を目指す「進化」の途上に私たちは生きているからだ。私たちは、私たちの生の技法や知恵に基づくことでしか生きることは不可能であるし、今までもそうであったし、未来もそうでしかない。

有名なミュージシャンや、有名な政治家に意見を代理表象してもらうのではない。守るべき民主主義も経験したことない人間が民主主義を語るべきではない。そうではなくて、過去に学び、代理表象の悪を見定め、来たるべき民主主義を模索することが重要なのであるし、人類が何千年も生きてきた中で、こうした技法や知恵などのヒントがないはずがない。私たちは私たちから学ぶのだ。

一九世紀はまだかろうじて、過去の遺産が豊かに残っていた時代だ。そうした遺産の蓄積のある種の形態が、アナキズムの名を借りて、専制主義と戦い、資本主義と戦ってきたと考えられる。二一世紀になった今、こうした過去の技法や知恵はなくなりつつある。それらが徹底的になくなった時に、現在がすべからく「新しい」と語られる時に、私たちは負けなのだ。そうではなくて、生の古層を現代の私たちが掘り起こし、私たちなりにそれを内に含み、私たちが進化の担い手となり、革命を生じさせていくことが、私たちの生きる術であると思う。むろんこの時に起こすべき革命とは、私たちそれぞれが夢見るユートピアの実現である。何度でも言う。いつも心に革命を。

## †「おわりに」のおわりに

本書は筑摩書房の松田健さんにお声がけをいただいて実現したものだ。実は松田さんとは長い付き合いだったりする。私が学部時代、彼が新書館にいた頃からだ。まさか一緒に仕事をするなんて思っていなかった。当初は、英米の哲学の入門書や現代思想の入門書か何かの打診であった気がする。その時は一旦お断りをさせていただいた。私が書かなくても、誰かが書きそうだからだ。それでも、松田さんからまた連絡があった。じゃあ、ということで、アナキズムの入門書なら書きますよ、と生意気なことを言った。そうしたら、なぜか、あれよあれよと言う間に、書くこととなった。執筆動機は先にも記したように、手に入りやすいアナキズムの入門書がないからだ。そして私自身、それを必要としているし、周囲からもそうした声をよく耳にしていたし、何よりも、ルクリュなどの資料を私自身あさっていて、きちんとまとめていくべきだと実感していたからだ。

この間も本書を書くにあたって、たくさんの人達に助けてもらっていた。なんせ極貧の生活なので、本が買えない。だから図書館で参考資料とにらめっこすることになるが、非常勤で教えている大学の図書館では、ない文献も多い。だから、非常勤先以外の大学の図書館にお世話になる。その際、各大学の学生や教員の方々に大変お世話になった。

とはいえ、国内ではどうしても手に入らない文献が数多くある。そんな折に、大阪市立大学の櫻田和也さんが、「ローザンヌ行ける？」と誘ってくれた。鼻血が出た。彼の科研費をもとに、スイスのローザンヌにあるアナキズム文献センター（Centre International de Recherches sur l'Anarchisme［CIRA］）に資料調査に行けることになった。久々の国外で、テンションも上がって、休憩時間にレマン湖で泳いで、割れたビール瓶を踏みつけて足を切ったりもしたが、大変充実した資料調査が行えた（このテンションの上がり下がり具合は半端なかった）。

本書にある写真などの資料提供に関して、ローザンヌだけでなく、富士宮のアナキズム文献センター、そして新宿の Irregular Rhythm Asylum のお世話になった。本当にありがとうございます。

細々とやっていても仲間は増える。ルクリュや石川三四郎を研究して、投げ出したくなる時もあった。今まで哲学をやってきて、研究方法の格闘の仕方が変わったからだ。ジレンマがあった。それでもなお、私は取り憑かれたように、ルクリュや石川を読んでしまう。これはなんとかしていきたい。そうこうしていると、大阪教育大学の田中ひかるさんが声をかけくれた。アナキズム研究者をたくさん紹介していただいた。必ず、助けてくれる人がいる。

また二〇一六年一一月に、今までマスオさん状態だった私（たち）は、新たに福岡近郊のコミューン（もどき）に引っ越した。その際、ボロ屋をコミューン（もどき）の友人たちが一緒に改装してくれた。必ず、助けてくれる人がいる。

また同時期に、ニューヨークや大阪や韓国などから友人たちが改装したボロ屋に来て、梁山泊状態になった。フランスのコミューンをやっている人たちともスカイプで何度も会議を重ねた。彼らは衣食住にわたって私たちの生活を助けてくれた。アッセンブリーの仕方を学んだ。

そう、何度も述べているが、必ず、助けてくれる人がいる。本書は日本語で書かれてはいるが、本書を世界中のアナキストと、アナキズムの歴史に捧げたい。

今度は、私があなたを助ける番だ。多分。

# 引用文献

参考文献を記すとページ数が大変なことになるので、ここでは本書での引用文献のみにさせていただく。基本的には訳書があるものは、訳書を参考にした。地の文に合わせて、時折修正や変更を加えている。先人たちのとてつもない訳業に感謝したい。それにしても、ほとんどの本が現在容易に手に入らないのは、悲しい。

アルシノフ、ピョートル『マフノ運動史　一九一八―一九二一　ウクライナの反乱・革命の死と希望』郡山堂前訳、社会評論社、二〇〇三年
ウドコック、ジョージ『アナキズムⅠ・Ⅱ』白井厚訳、紀伊國屋書店、一九六八年
大沢正道『バクーニンの生涯』論争社、一九六一年
クロポトキン、P『クロポトキン全集第十二』八太舟三訳、春陽堂、一九二八年
クロポトキン、P『クロポトキンⅠ　アナキズム叢書』三浦精一・大沢正道訳、三一書房、一九七〇年
クロポトキン、P『ある革命家の手記（上・下）』高杉一郎訳、岩波文庫、一九七九年

グレーバー、デヴィッド『資本主義後の世界のために　新しいアナーキズムの視座』高祖岩三郎訳、以文社、二〇〇九年
鶴見俊輔『身ぶりとしての抵抗　鶴見俊輔コレクション2』河出文庫、二〇一二年
バクーニン『バクーニン著作集1』左近毅訳、白水社、一九七三年
バクーニン『バクーニン著作集3』外川継男訳、白水社、一九七三年
バクーニン『バクーニン著作集5』外川継男訳、白水社、一九七四年
バクーニン『バクーニン著作集6』外川継男訳、白水社、一九七三年
プルードン『プルードンⅠ　アナキズム叢書』陸井四郎・本田烈訳、三一書房、一九七一年
プルードン『プルードンⅢ　アナキズム叢書』長谷川進・江口幹訳、三一書房、一九七一年
プルードン、ピエール＝ジョゼフ『貧困の哲学（上・下）』斉藤悦則訳、平凡社ライブラリー、二〇一四年
松田道雄『ロシアの革命』河出文庫、一九九〇年
マルクス、カール『哲学の貧困』山村喬訳、岩波文庫、一九五〇年
マルクス、カール『フランスの内乱』木下半治訳、岩波文庫、一九五二年
ルクリュ、エリゼ／石川三四郎『アナキスト地人論　エリゼ・ルクリュの思想と生涯』書肆心水、二〇一三年
渡辺孝次「バクーニンとジュラ支部：社会民主同盟とロマン連合（続）」『一橋論叢』一九九一年二月

Jean-Jacque Érisée Reclus, "St-Imier", *Bulletin de la Fédération jurassienne de l'Association international des travailleurs*, 4e année, no. 9, (11 mars 1877), 4
Jean-Jacque Érisée Reclus, *Écrit sociaux*, Éditions Héros-Limite, 2012
Jean-Jacque Érisée Reclus, *L'homme et la terre, histoire moderne Tome5*, Paris Librairie Universelle, 1905
Jean-Jacque Érisée Reclus, *L'homme et la terre, histoire contemporaine Tome6*, Paris Librairie Universelle, 1905

なお、ルクリュの著作の多くは、フランス国立図書館（Bibliothèque nationale de France）の電子図書館ガリカ（Gallica）で読むことができる（http://gallica.bnf.fr/）。プルードンの著作も然り。加えて、プルードンの晩年の草稿はブザンソン市立図書館の電子図書館からもアクセス可能だ（http://culture.besancon.fr/）。

ちくま新書
1245

# アナキズム入門《にゅうもん》

二〇一七年三月一〇日　第一刷発行

著　者　森 元斎（もり・もとなお）

発行者　山野浩一

発行所　株式会社 筑摩書房
東京都台東区蔵前二-五-三　郵便番号一一一-八七五五
振替〇〇一六〇-八-四一二三

装幀者　間村俊一

印刷・製本　株式会社 精興社



乱丁・落丁本の場合は、左記宛にご送付ください。
送料小社負担でお取り替えいたします。
ご注文・お問い合わせも左記へお願いいたします。
〒三三一-八五〇七　さいたま市北区櫛引町二-六〇四
筑摩書房サービスセンター　電話〇四八-六五一-〇〇五三



ISBN978-4-480-06952-8 C0231

## ちくま新書

ちくま新書

659
現代の貧困
――ワーキングプア／ホームレス／生活保護
岩田正美
貧困は人々の人格も、家族も、希望も、やすやすと打ち砕く。この国で今、そうした貧困に苦しむのは「不利な人々」ばかりだ。なぜ？ 処方箋は？ をトータルに描く。

1113
日本の大課題 子どもの貧困
――社会的養護の現場から考える
池上彰編
格差が極まるいま、家庭で育つことができない子どもが増えている。児童養護施設の現場から、子どもの貧困についての実態をレポートし、課題と展望を明快にえがく。

883
ルポ 若者ホームレス
飯島裕子
ビッグイシュー基金
近年、貧困が若者を襲い、20～30代のホームレスが激増している。彼らはなぜ路上暮らしへ追い込まれたのか。貧困が再生産される社会構造をあぶりだすルポ。

937
階級都市
――格差が街を侵食する
橋本健二
街には格差があふれている。古くは「山の手」「下町」と身分によって分断されていたが、現在もその構図は変わっていない。宿命づけられた階級都市のリアルに迫る。

1020
生活保護
――知られざる恐怖の現場
今野晴貴
高まる生活保護バッシング。その現場では、いったい何が起きているのか。自殺、餓死、孤立死……。追いつめられ、命までも奪われる「恐怖の現場」の真相に迫る。

1190
ふしぎな部落問題
角岡伸彦
もはや差別だけでは語りきれない。部落を特定する膨大なネット情報、過敏になりすぎる運動体、同和対策事業の死角。様々なねじれが発生する共同体の未来を探る。

1213
農本主義のすすめ
宇根豊
農は資本主義とは相いれない。社会が行き詰まり、自然が壊れかかっているいま、あらためて農の価値を見つめ直す必要がある。戦前に唱えられた思想を再考する。